Séparation
GUIDE
PRATIQUE **ou divorce**

INFORM'ELLE

COORDINATION:
Johanne Roby

COLLABORATION:
Lyette Chagnon
Annie Dupuis
Lyne Morin

Séparation
GUIDE
PRATIQUE **ou divorce**

FILIALE DE
COMMUNICATIONS QUEBECOR INC.

Wilson & Lafleur ltée
40, rue Notre-Dame Est
Montréal H2Y 1B9
(514) 875-6326
(sans frais) 1-800-363-2327

Données de catalogage avant publication (Canada)

Vedette principale au titre :

   Séparation ou divorce

   Comprend des réf. bibliogr.

   ISBN 2-89127-395-8

   1. Divorce — Droit — Québec (Province). 2. Séparation de corps — Québec (Province). 3. Divorce — Aspect psychologique. 4. Divorce — Aspect social.   I. Roby, Johanne, 1955-   .

KEQ250.S47 1997   346.71401'66   C97-940332-4

Conception de la page couverture : Bernard Langlois
Mise en pages : Typo Litho composition inc.
Photo de la page couverture : J.P. Fruchet/Masterfile

© Wilson & Lafleur ltée, Montréal, 1997
   Une filiale de Communications Quebecor Inc.
   Tous droits réservés

Dépôt légal
2e trimestre 1997

Bibliothèque nationale du Québec
Bibliothèque nationale du Canada

ISBN 2-89127-395-8

PRÉSENTATION D'INFORM'ELLE

Inform'elle est un organisme sans but lucratif qui œuvre dans le domaine du droit de la famille depuis 1978. C'est un centre unique en Montérégie qui s'emploie à vulgariser le langage juridique auprès de sa clientèle afin de l'aider à mieux comprendre et exercer ses droits et devoirs en toute connaissance de cause.

Depuis près de vingt ans, tout est mis en place chez *Inform'elle* pour aider les femmes, les couples et les familles à se prendre en charge dans le système judiciaire : du service téléphonique d'information juridique gratuit jusqu'à la nouvelle formation info-procédures, en passant par le fichier juridique, le cours d'auto-divorce, la médiation familiale et les ateliers juridiques.

Le cœur d'*Inform'elle*, c'est une dynamique équipe de bénévoles, de ressources professionnelles et d'employées qui font avancer la cause de cet organisme avec leur chaleur et leur dévouement. En 1995-1996, plus de 4000 personnes ont eu recours à *Inform'elle* pour l'un ou l'autre de ses services.

inform'elle
INC.
ET SON MILIEU

3757, rue Mackay
Saint-Hubert (Québec)
J4T 2P6
Tél. : (514) 443-3442

AVANT-PROPOS

Le présent ouvrage est un outil de référence pour toute personne touchée de loin ou de près par une situation de séparation ou de divorce, que ce soit sur le plan personnel ou professionnel.

Il traite de façon générale de la séparation et du divorce, principalement en ce qui a trait à leurs implications psychosociales et juridiques.

La présentation de chaque thème se fait à partir de questions et réponses, et ce, afin d'alléger la compréhension du texte.

Nous verrons donc les distinctions entre la séparation de corps et le divorce, leurs effets, les obligations des époux et leurs droits.

Inform'elle inc. tient à remercier Me Marie-Andrée Miquelon, pour sa collaboration à la rédaction de ce livre.

TABLE DES MATIÈRES

Chapitre I

LES ASPECTS JURIDIQUES DE LA SÉPARATION OU DU DIVORCE

Chapitre II

LES ASPECTS PSYCHOSOCIAUX DE LA SÉPARATION OU DU DIVORCE

Chapitre I
LES ASPECTS JURIDIQUES DE LA SÉPARATION OU DU DIVORCE

1. LA MÉDIATION FAMILIALE

Johanne Roby, avocate et médiatrice

Qu'est-ce que la médiation familiale ?

La médiation familiale est une façon de résoudre les conflits vécus par les couples lorsque survient une séparation ou un divorce. Elle favorise la coopération et la négociation « sans perdant » plutôt que l'affrontement.

La médiation est offerte également aux conjoints de fait qui ont l'intention d'arriver à une entente équitable.

Qui peut obtenir les services d'un médiateur ?

Il existe plusieurs types de services de médiation et leurs critères d'admissibilité diffèrent. On en trouve autant dans les secteurs privé que public.

Inform'elle inc. a pour but d'aider les couples qui désirent se séparer ou divorcer à l'amiable en leur offrant le service de médiation familiale. Celui-ci permet à ces derniers d'en venir à une entente satisfaisante pour tous les membres de la famille, et ce, dans un climat de respect mutuel.

Sont admissibles au service de médiation familiale d'*Inform'elle inc.* :

— tous les couples mariés ou en union de fait ayant au moins un enfant mineur à charge;

— qui désirent s'entendre raisonnablement;

— dont l'un des conjoints demeure sur le territoire de la Montérégie.

Le service est gratuit si certaines conditions sont remplies. Pour de plus amples renseignements, vous pouvez communiquer avec *Inform'elle* :

> INFORM'ELLE INC.
> 3757, rue Mackay
> Saint-Hubert (Québec)   J4T 2P6
> Tél. : (514) 443-3442

Les Centres jeunesse de Montréal offrent également leur service de médiation à la famille aux gens qui veulent se séparer ou divorcer à l'amiable.

Peuvent bénéficier de ces services les couples :

— mariés ou non;

— qui ont des enfants mineurs; et

— dont l'un ou l'autre habite ou travaille dans les districts judiciaires de Montréal ou de Longueuil.

Ce service gouvernemental est gratuit. Pour obtenir tout renseignement, contacter :

> Le Service de médiation à la famille
> 1, rue Notre-Dame Est, bureau 12.91
> Montréal (Québec)   H2Y 1B6
> Tél. : (514) 393-2294

Qui peut agir comme médiateur ?

Les avocats, les notaires, les travailleurs sociaux et les psychologues qui ont reçu la formation obligatoire en médiation familiale sont les seuls à pouvoir vous offrir les services de médiation familiale.

Vous pouvez obtenir les noms des avocats-médiateurs en communiquant avec un service de référence du Barreau aux endroits suivants :

> Longueuil : (514) 468-2609
> Montréal : (514) 866-2490
> Laval : (514) 468-2609
> Québec : (418) 529-0301

Vous pouvez obtenir les noms des notaires-médiateurs en communiquant avec le service de référence de la Chambre des notaires à :

Montréal : (514) 879-1793

Vous pouvez obtenir les noms des travailleurs sociaux-médiateurs en communiquant avec l'Ordre professionnel des travailleurs sociaux du Québec à :

Montréal : (514) 731-3925

Vous pouvez obtenir les noms des psychologues-médiateurs en communiquant avec l'Association des psychologues du Québec à :

Montréal : (514) 528-7498

Vous pouvez également appeler à l'Association de la médiation familiale du Québec pour obtenir le nom d'un médiateur faisant partie d'une des quatre professions mentionnées précédemment. Les critères d'admission et le coût des services varient selon le professionnel. On peut joindre cette association à :

Montréal : (514) 866-6769

Quel est le rôle du médiateur ?

Le rôle du médiateur est d'être impartial, c'est-à-dire qu'il ne doit jamais prendre position pour aucun des conjoints. Son rôle est très actif, il doit amener les conjoints à trouver des options qui leur sont propres concernant la garde des enfants, le droit d'accès du parent non gardien, la pension alimentaire et le partage des biens. Le médiateur doit être à l'écoute des besoins des conjoints, et ce, toujours dans un but d'équité pour chacun.

Quand peut-on avoir recours à la médiation ?

La médiation peut venir en aide à divers moments, soit :

— avant les procédures légales en séparation ou en divorce;

— pendant les procédures légales (dans ce cas, le processus judiciaire doit être suspendu pour la durée de la médiation);

— en tout temps pour les conjoints de fait; ou

— après un jugement de séparation de corps ou de divorce si certains points sont à renégocier concernant la garde des enfants, les droits d'accès et/ou la pension alimentaire.

Comment se déroule la médiation ?

La médiation nécessite généralement quatre à huit rencontres. Ce nombre peut toutefois varier selon la complexité des dossiers.

À la première rencontre, le médiateur évalue la situation du couple. Il s'enquiert notamment des raisons de la rupture, de la nature des conflits et des points à négocier. À la fin de cette rencontre, si les conjoints sont toujours d'accord pour avoir recours à la médiation, un contrat de médiation est préparé. Ce contrat énumère tout ce qui fera l'objet de la négociation.

Chaque rencontre est structurée et comporte des objectifs précis, comme la garde des enfants, les droits d'accès du parent non gardien, le partage des biens et l'aspect financier, soit une pension alimentaire pour le conjoint et/ou pour les enfants, etc. Le médiateur explique aux conjoints les différentes options possibles pour chacun des problèmes et en examine les conséquences avec eux.

Il y a place pour la créativité dans cette dynamique. Le médiateur suggère des options et amène les conjoints à interagir pour qu'eux-mêmes choisissent ce qui leur convient dans leur nouvelle structure familiale.

Lorsqu'il est certain que chaque conjoint a pu s'exprimer en toute liberté sur ses besoins et ses attentes, le médiateur rédige un projet d'entente qui consigne les décisions prises par les deux parties au cours des rencontres.

Quelles sont les conditions de la médiation ?

La médiation est soumise à certaines conditions, notamment les suivantes. Les deux conjoints doivent :

— y consentir ;

— être de bonne foi ;

— négocier dans le meilleur intérêt de la famille, y compris les enfants;

— divulguer sans réserve tous les renseignements d'ordre financier dont ils disposent; et

— participer activement à la médiation.

Si ces conditions ne sont pas satisfaites, le médiateur peut, avec ou sans l'accord du couple, refuser d'entreprendre la médiation ou y mettre fin s'il le juge nécessaire.

Pouvez-vous changer d'idée?

Oui, vous pouvez, en tout temps, décider de mettre fin à la médiation. Si, pour une raison ou une autre, vous avez l'impression que le processus vous désavantage, vous pouvez mettre fin à la médiation et vous adresser au tribunal.

Quels sont les avantages de la médiation?

La médiation familiale comporte de nombreux avantages, soit:

— réduction de l'anxiété reliée à la séparation ou au divorce ainsi qu'à la réorganisation de la famille;

— atmosphère plus détendue que celle d'une cour;

— diminution de la frustration et de l'animosité présentes dans de telles situations;

— baisse des coûts humains et financiers rattachés aux procédures de séparation et de divorce;

— atténuation des tensions et de l'insécurité chez les enfants;

— confidentialité quant à l'information échangée durant les séances de médiation;

— élaboration d'un projet d'entente adapté aux besoins de chaque membre de la famille;

— plus grand respect des ententes puisqu'elles ont été négociées et choisies par les conjoints eux-mêmes.

Attention!   La médiation ne convient pas nécessairement à tous. Si en cours de route vous vous rendez compte qu'elle ne répond pas à vos attentes, il serait préférable de mettre fin au processus.

2. LA SÉPARATION DE CORPS OU LE DIVORCE SUR PROJET D'ACCORD

Johanne Roby, avocate et médiatrice

Les époux peuvent-ils se séparer ou divorcer sans l'aide d'un avocat ?

Oui, les époux peuvent se séparer ou divorcer sans l'aide d'un avocat, et ce, en présentant une demande conjointe en séparation de corps ou en divorce sur projet d'accord.

Les conjoints de fait n'ont pas besoin d'un avocat pour mettre un terme à leur relation de couple puisque aucune procédure légale n'est nécessaire. En ce qui concerne les enfants, les parents doivent s'adresser à un avocat pour qu'une requête soit présentée et que le tribunal rende un jugement sur la garde des enfants, les droits d'accès du parent non gardien et la pension alimentaire (voir la section *La garde des enfants*). De même, dans certains cas, les conjoints de fait disposent de recours civils l'un contre l'autre (voir la section *Les recours civils des conjoints de fait*).

À signaler. Il est également possible pour un époux de se représenter lui-même, sans l'aide d'un avocat, dans une procédure contestée (voir les sections *La séparation de corps* et *Le divorce*). Il peut le faire, qu'il ait pris ou non l'initiative de la demande en justice. Cette démarche entraîne toutefois certaines difficultés, la plupart des gens n'étant pas familiers avec les rouages de l'administration de la justice. Par ailleurs, rien n'empêche les conjoints voulant présenter une demande conjointe de consulter un avocat pour obtenir des renseignements sur leurs droits et les conséquences de leur projet d'accord.

Qui peut faire une demande conjointe en séparation de corps sur projet d'accord ?

Les époux qui soumettent à l'approbation du tribunal un projet d'accord qui règle toutes les conséquences de leur séparation de corps. Ils ne sont pas tenus de faire connaître au tribunal la cause de leur séparation.

Qui peut faire une demande conjointe en divorce sur projet d'accord ?

Les époux qui demandent ensemble le divorce :

— après une période de séparation de fait d'un an ; et

— qui s'entendent sur toutes les conséquences de leur divorce.

Que se passe-t-il si les époux demeurent en désaccord sur certaines conséquences de leur séparation ou de leur divorce ?

Il est possible que les époux s'entendent sur certains aspects de leur rupture, comme le partage des biens, et qu'un désaccord subsiste, par exemple quant à la garde des enfants.

Dans ce cas, ils peuvent avoir recours à la médiation (voir la section *La médiation familiale*) pour tenter de régler leur différend. Si, à l'issue du processus de médiation, ils n'en sont pas arrivés à une entente, ils devront alors s'adresser au tribunal pour qu'il tranche la question (voir les sections *La séparation de corps* et *Le divorce*).

Le tribunal peut-il refuser la demande conjointe en séparation ou en divorce ?

Oui. Si le juge est d'avis que le projet d'accord ne protège pas suffisamment les intérêts des enfants ou de l'un des époux, il peut rejeter la demande. Il peut également demander aux époux de modifier certaines clauses de leur projet d'accord et ajourner sa décision jusqu'à ce qu'un nouveau projet lui soit soumis (art. 822.3 C.P.C.). Le juge pourrait également rejeter un projet d'accord qu'il estime contraire à l'ordre public.

Louise présente à la cour une requête en divorce et demande, outre la garde de ses enfants, une pension alimentaire de 50 $ par semaine. Jacques y acquiesce. Au cours du procès, le juge se rend compte, d'une part, que Louise et les enfants ont besoin d'au moins 550 $ par mois pour vivre et, d'autre part, que les revenus de Jacques lui permettent de payer davantage que le montant demandé par Louise. Il en conclut qu'il existe une entente tacite entre les deux ex-conjoints pour limiter le montant de la pension alimentaire de manière que Louise continue de recevoir des prestations de sécurité du revenu. Le juge refuse d'entériner l'accord survenu entre les parties. Il estime en effet que ce n'est pas à l'État, mais bien au père et ex-époux qu'il incombe de subvenir aux besoins de sa famille[1].

Comment doit-on procéder pour présenter une demande conjointe en séparation ou en divorce?

Pour procéder à une demande conjointe en séparation de corps sur projet d'accord, il faut consulter un avocat.

Pour faire une demande conjointe en divorce, il existe trois possibilités.

1) Consulter un avocat.

2) S'inscrire à un cours d'auto-divorce à :

INFORM'ELLE INC.
3757, rue Mackay
Saint-Hubert (Québec)   J4T 2P6
Tél.: (514) 443-3442

3) Le gouvernement du Québec, ministère de la Justice, a conçu une brochure intitulée *La demande conjointe en divorce, sur projet d'accord*, qui explique la procédure à suivre et énumère les documents requis pour présenter une telle demande. Pour obtenir cette brochure, vous pouvez communiquer avec Communication-Québec aux endroits suivants :

District de Longueuil : (514) 873-8989
District de Montréal : (514) 873-2111

Lorsqu'un jugement de séparation de corps ou de divorce est rendu, qu'il l'ait été sur présentation d'un projet d'accord ou qu'il survienne après une procédure contestée (voir les sections *La*

---

1. *Droit de la famille — 261*, 1986 R.J.Q. 345.

séparation de corps et *Le divorce*), certaines des mesures qu'il prévoit sont définitives. Il en est ainsi, notamment, du partage du patrimoine familial et de la liquidation du régime matrimonial. De même, si le tribunal accorde à l'un des époux un droit de propriété à l'égard des meubles ou des immeubles, cette mesure est définitive. Aussi, est-il recommandé aux couples dont la situation familiale et financière est complexe d'avoir recours aux services d'un avocat plutôt que de préparer eux-mêmes leur demande.

Certaines mesures sont toutefois temporaires. Il s'agit, entre autres, des droits d'usage accordés à l'un ou l'autre des époux, qu'il soit question des meubles ou des immeubles. Il est à noter que les mesures concernant les enfants, notamment la garde et la pension alimentaire, peuvent toujours être modifiées après le jugement de séparation de corps ou de divorce. Par ailleurs, la pension alimentaire versée au conjoint peut également être révisée, à certaines conditions, à moins que celui-ci n'y ait renoncé (voir la section *La pension alimentaire*).

Attention!   Tout ce qui concerne la garde et la pension alimentaire versée aux enfants n'est jamais définitif. En effet, des changements peuvent survenir dans leur situation ou celle de leurs parents et justifier une modification de l'entente initiale. Quant à la pension alimentaire versée au conjoint, elle peut généralement être révisée (voir la section *La pension alimentaire*).

Existe-t-il un service pour aider les couples qui veulent se séparer ou divorcer sur projet d'accord?

Oui, il s'agit de la médiation familiale.

3. LA SÉPARATION DE CORPS

Johanne Roby, avocate et médiatrice

Qu'est-ce que la séparation de corps?

La séparation de corps fait suite à une décision du tribunal. Il ne faut pas la confondre avec la séparation de fait, qui survient en dehors de tout encadrement juridique. Les époux sont séparés de fait lorsqu'ils cessent de faire vie commune sans entreprendre de procédure judiciaire.

Quels sont les effets de la séparation de corps?

La séparation de corps ne dissout pas les liens du mariage. Elle permet toutefois aux époux:

— de ne plus faire vie commune;

— d'obtenir le partage du patrimoine familial;

— d'obtenir la liquidation du régime matrimonial;

— de régler les modalités de la séparation, par exemple la garde des enfants, l'octroi d'une pension alimentaire, d'une somme globale, etc. On appelle ces modalités les mesures accessoires (voir la section *Les mesures accessoires et provisoires*); et

— d'hériter, en l'absence de testament, lorsque survient un décès.

Qui peut demander la séparation de corps?

L'un ou l'autre des époux peut la demander au tribunal. S'ils la demandent tous les deux, il s'agit alors d'une demande conjointe en séparation de corps (voir la section *La séparation de corps et le divorce sur projet d'accord*).

Quels motifs devez-vous invoquer afin d'obtenir une séparation de corps?

Afin d'obtenir la séparation de corps, vous devez démontrer que la volonté de faire vie commune est gravement atteinte.

Vous pouvez en faire la preuve, notamment en prouvant au tribunal:

— un ensemble de faits qui rendent difficilement tolérable le maintien de la vie commune;

> Par exemple, Francine demande la séparation de corps parce que Luc lui a adressé des insultes d'une très grande gravité, et ce, devant leur fille de 16 ans, et elle déclare que l'époux l'a frappée plusieurs fois. L'époux a accusé sa conjointe de torts que le juge a qualifiés d'imaginaires. Or, la séparation a été accordée à Francine, la preuve ayant démontré que les torts qu'elle a subis sont réels, ce qui a rendu la vie commune impossible et intolérable[2].

— qu'au moment de la demande, vous viviez séparés; ou

— que votre conjoint a manqué gravement à l'une des obligations du mariage[3]. Les obligations découlant du mariage sont, entre autres, la fidélité, la contribution aux charges du ménage, les secours, l'assistance ainsi que le respect mutuels[4].

Pouvez-vous reprendre la vie commune après un jugement de séparation de corps?

Oui, rien ne vous empêche de reprendre la vie conjugale avec votre ex-conjoint. Dans ce cas, votre contrat de mariage sera automatiquement la séparation de biens après 90 jours de réconciliation et de cohabitation. Si vous désirez vous prévaloir de la société d'acquêts ou d'un régime matrimonial communautaire, vous devrez faire un nouveau contrat de mariage devant notaire.

---

2. *Roy* c. *Lavigne*, (1969) B.R. 187.
3. C.C.Q. 507.
4. C.C.Q. 392 et 396.

Par ailleurs, le lien matrimonial n'étant pas rompu par la séparation de corps, vous ne pouvez ni l'un ni l'autre vous remarier avec un nouveau partenaire sans obtenir préalablement le divorce.

4. LE DIVORCE

Johanne Roby, avocate et médiatrice

Qu'est-ce que le divorce ?

Le divorce est une décision rendue par le tribunal qui rompt définitivement les liens juridiques créés entre les époux par le mariage (voir toutefois la section *La pension alimentaire*). Il n'est pas nécessaire, pour obtenir le divorce, qu'un jugement de séparation de corps ait été préalablement rendu.

Quels sont les effets du divorce ?

Le divorce permet :

— le partage du patrimoine familial ;

— la liquidation du régime matrimonial ;

— le règlement des modalités de la rupture, par exemple la garde des enfants, l'octroi d'une pension alimentaire, d'une somme globale, etc. ; et

— de se remarier.

Lorsqu'un jugement de divorce modifie une modalité qui a été fixée dans un jugement de séparation de corps, le jugement de divorce a force de loi. Par exemple, le jugement de séparation de corps accorde à Jeanne une pension alimentaire de 100 $ par semaine. Le jugement de divorce augmente cette pension à 125 $ par semaine. Réal devra verser à son ex-épouse un montant de 125 $ par semaine.

À signaler. La garde des enfants n'est jamais établie de façon définitive, des changements pouvant survenir après le divorce (voir la section *La garde des enfants*). Quant à la pension alimentaire, elle peut être révisée à la hausse ou à la baisse s'il y a des changements dans votre situation financière ou celle de votre ex-conjoint (voir la section *La pension alimentaire*).

Qui peut demander le divorce?

L'un ou l'autre des époux peut le demander au tribunal. S'ils le demandent tous les deux, il s'agit alors d'une demande conjointe en divorce (voir la section *La séparation de corps ou le divorce sur projet d'accord*).

Quels motifs devez-vous invoquer pour obtenir le divorce?

La *Loi sur le divorce* prévoit que l'échec du mariage est prouvé si vous démontrez au tribunal l'existence de l'une des situations suivantes.

— *Séparation d'un an*

Vous viviez séparés au moment de l'introduction de la demande en divorce, et cela depuis un an au moment où est prononcé le jugement de divorce. Il suffit de prouver la séparation comme situation de fait pour démontrer l'échec du mariage.

Attention!   Dans certains cas, il est possible d'obtenir le divorce pour ce motif, même si les époux n'ont pas vécu dans des domiciles séparés pendant un an.

> Par exemple, Georges demande le divorce en alléguant qu'il vit séparé de Claudette depuis au moins un an. Claudette souhaite le rejet de l'action. Elle explique au tribunal qu'elle vivait sous le même toit que Georges au moment où l'action en divorce lui a été signifiée. La preuve démontre qu'ils vivaient effectivement dans la même maison, mais que Georges a cessé de vouloir faire vie commune à compter du moment où il a commencé à faire chambre à part et à sortir seul. Le tribunal conclut que cette cohabitation avait pour but de permettre aux parties de vivre en paix jusqu'à ce qu'une séparation définitive soit conclue. En conséquence, le divorce est accordé[5].

Attention!   Si durant l'instance de divorce, vous reprenez la vie commune avec votre conjoint dans un but de réconciliation et que

---

5. *Droit de la famille — 841*, (1990) R.J.Q. 1571.

la cohabitation s'étale sur une ou plusieurs périodes totalisant 90 jours, la demande en divorce peut être rejetée[6].

— *Adultère*

Vous devez prouver, par témoignage, que votre conjoint a commis l'adultère depuis la date du mariage. L'aveu de votre conjoint est admissible en preuve.

— *Cruauté mentale*

On assimile la cruauté mentale à des comportements ou à des agissements qui portent atteinte à la sécurité, à la santé ou à l'intégrité d'une personne. Il peut s'agir, par exemple, d'injures, d'insultes, de menaces, d'humiliations ou de consommation excessive et régulière d'alcool.

> Patrice demande le divorce au motif que Denise fait preuve à son égard de cruauté mentale. La preuve démontre que Denise préfère la compagnie d'un ami à celle de son mari, qu'elle a exclu de sa vie. Le tribunal estime que cette situation équivaut à un rejet de Patrice et qu'il s'agit bel et bien de cruauté mentale. Le divorce est donc accordé[7].

> Raoul et Georgette se sont mariés en 1978. En 1984, Georgette subit une intervention chirurgicale et, à compter de cette date, leur relation ne cesse de se détériorer. La preuve démontre que la vie commune est devenue intolérable. En effet, Raoul a honte de son épouse, n'est jamais satisfait, refuse le dialogue et fait chambre à part. Le tribunal en conclut que Raoul a effectivement fait preuve de cruauté mentale et accorde le divorce[8].

— *Cruauté physique*

La cruauté physique correspond à des comportements qui constituent un danger pour la vie, la santé, la sécurité ou l'intégrité

---

6. *Loi sur le divorce*, art. 8(3) et 11.
7. *Droit de la famille — 1433*, R.D.F. (1991) 376 (C.S.).
8. *Droit de la famille — 756*, J.E. 90-194 (C.A.).

d'une personne. Il peut s'agir, par exemple, d'assaut, d'usage de force physique ou de contrainte physique.

Le premier critère à retenir en matière de cruauté physique consiste en ce que les actes reprochés sont tels qu'ils ont pour conséquence de *rendre intolérable* la continuation de la vie commune.

> Louise invoque la cruauté physique de Richard comme motif dans une demande en divorce et la demande est accordée. La preuve établit que le mari a usé de force physique à l'égard de son épouse pendant la dernière année de cohabitation du couple. Richard a tiré et poussé Louise hors du lit et il l'a également giflée à quelques reprises. Le juge a conclu que même si le comportement de Louise n'était pas sans reproches, soit : entrées tardives, absences et le fait de refuser toutes relations sexuelles, ne justifie en rien pour un conjoint d'user de force à l'égard de sa partenaire. Lorsqu'il y a cruauté physique, nous parlons alors de rapport de force et de négation d'égalité, ce qui est bien loin d'une relation de couple basée sur le respect et l'amour[9].

Peut-on invoquer l'échec du mariage en se basant sur sa propre inconduite ?

Non, on ne peut invoquer ses propres agissements pour prouver l'échec du mariage. Par exemple, on ne peut invoquer l'adultère qu'on a soi-même commis dans le but d'obtenir le divorce. Toutefois, si la demande s'appuie sur le motif d'une séparation d'au moins un an, il suffit de prouver cette situation afin d'établir l'échec du mariage. Dans ce cas, le fait que l'un ou l'autre des conjoints ait provoqué la séparation n'a pas d'importance.

---

9. *B. c. L.*, 1983 R.L. 413 (C.S.).

5. LE DÉROULEMENT DES PROCÉDURES EN SÉPARATION DE CORPS ET EN DIVORCE

Johanne Roby, avocate et médiatrice

Comment débute la procédure en séparation de corps ou en divorce?

Que vous fassiez une demande en séparation de corps ou en divorce, celle-ci est introduite par ce qu'on appelle une déclaration (art. 813.3 C.P.C.). Lorsque vous rencontrez votre avocat pour la première fois, il vous pose des questions de manière à obtenir les renseignements qui doivent apparaître dans cette déclaration. Il s'agit notamment des renseignements suivants :

— votre nom et celui de votre époux ;

— l'adresse du domicile conjugal ;

— vos dates et lieux de naissance ;

— le nom, l'âge, la date et le lieu de naissance de chacun de vos enfants ;

— les détails concernant votre régime matrimonial ;

— les motifs de la demande ; et

— les mesures accessoires que vous demandez.

Lorsqu'il a en main tous les renseignements nécessaires, votre avocat rédige la demande en séparation de corps ou en divorce. Vous le rencontrez de nouveau afin de prendre connaissance du document. Si le tout est à votre satisfaction, votre avocat dépose votre demande au greffe du Palais de justice. Votre dossier est ensuite enregistré et numéroté et, par la suite, votre avocat vous avise de la date d'audition. La demande est envoyée par huissier à votre conjoint.

Devant quel tribunal votre demande sera-t-elle entendue?

Que vous fassiez une demande de séparation de corps ou de divorce, votre demande est entendue par la Cour supérieure. Si vous demandez la séparation de corps, votre cause se déroule dans le district où est situé votre domicile commun. Si vous vivez séparément, elle est entendue dans l'un des districts où sont situés vos domiciles respectifs.

La demande de divorce est entendue dans le district où l'un de vous a résidé pendant l'année qui précède l'introduction de la demande.

Que sont les mesures accessoires et provisoires ?

Les mesures **accessoires** désignent toutes les décisions qui doivent être prises au cours d'une séparation de corps ou d'un divorce. Il s'agit notamment, selon la situation de chacun, des décisions suivantes :

— le versement d'une pension alimentaire ;

— l'octroi d'une somme globale ;

— l'attribution d'une prestation compensatoire ;

— la garde des enfants ;

— les droits de visite et de sortie du parent non gardien ;

— le partage du patrimoine familial ;

— la liquidation du régime matrimonial ;

— le droit d'usage du domicile familial, pour le conjoint qui a la garde des enfants ;

— le droit d'usage ou de propriété des meubles ;

— l'attribution exclusive du bail de la résidence familiale à l'un des conjoints, qu'il en soit ou non le signataire.

Quant aux mesures **provisoires**, elles ont pour but de régler de façon temporaire, **pendant le déroulement des procédures**, les conditions de vie des membres de la famille jusqu'au jugement final de séparation ou de divorce. Une demande en séparation de corps ou en divorce est souvent accompagnée d'une requête pour mesures provisoires.

Le délai d'audition pour une demande en séparation de corps ou en divorce diffère d'un district judiciaire à un autre. Les mesures provisoires sont entendues plus rapidement. La requête pour mesures provisoires doit être signifiée à votre conjoint au moins cinq jours avant sa présentation.

Au stade des mesures provisoires, le tribunal peut se prononcer notamment sur les points suivants.

— *La garde des enfants* : lequel des parents aura la garde des enfants et quels sont les droits de visite et de sortie du parent non gardien ?

— *La pension alimentaire* : l'un des conjoints a-t-il droit à une pension alimentaire et, si oui, quel est le montant de cette pension ? Durant quelle période doit-elle être versée ? Y a-t-il lieu de l'indexer ?

— *La résidence familiale* : lequel des conjoints conservera l'usage* de la résidence familiale (logement ou maison), à l'exclusion de l'autre conjoint pendant le déroulement des procédures ?

— *Les meubles* : lequel des deux conjoints aura l'usage* des meubles servant à la famille pendant le déroulement des procédures ?

— *Les polices d'assurance* : le tribunal peut ordonner à l'un des époux de maintenir ses polices d'assurance-vie, d'en nommer son conjoint bénéficiaire et de lui en donner une preuve de paiement.

— *Les mesures de non-harcèlement* : le tribunal peut ordonner à l'un des conjoints de ne pas harceler, menacer, troubler et/ou importuner l'autre époux.

À signaler. *Il s'agit de l'usage et non de la propriété. La propriété des biens est attribuée par le jugement sur le fond, en tenant compte des circonstances de chaque cas, notamment le régime matrimonial, le partage du patrimoine familial et les besoins de la famille. Il n'est donc pas certain que l'époux qui obtient l'usage des biens au stade des mesures provisoires en conserve la propriété au moment du jugement sur le fond.

Monique et Louis sont en instance de divorce. Monique dépose une requête pour mesures provisoires. Elle demande la garde de leur fille Alexandra, une pension alimentaire pour cette dernière, l'indexation de la pension et un montant de 20 680 $ à titre de remboursement de frais de déménagement et de réinstallation. Quant à ces frais, elle allègue qu'elle a dû les engager à cause du comportement de Louis. En effet, Monique a quitté son emploi en mai 1987, pour rejoindre son mari qui demeurait dans les îles Vierges. Toutefois, elle n'a pu se trouver d'emploi et la situation maritale est rapidement devenue invivable en raison de l'alcoolisme de Louis. Monique est donc revenue à Montréal avec Alexandra en octobre 1987. Le montant de 20 000 $ qu'elle réclame se détaille comme suit : 1 500 $ pour la location d'une voiture, 11 800 $ de perte de salaire et 8 000 $ pour l'achat de meubles. Le tribunal est d'avis que des frais de déménagement et de réinstallation peuvent effectivement être accordés au stade des mesures provisoires si la preuve démontre que Louis a des ressources financières suffisantes pour les assumer. Sa capacité de payer étant établie, Louis est condamné à verser à Monique la somme de 8 000 $. Le tribunal refuse toutefois d'accorder à cette dernière les montants relatifs à la location de la voiture ainsi qu'à la perte de salaire. Par ailleurs, Monique obtient la garde d'Alexandra ainsi qu'une pension pour sa fille[10].

Comment obtient-on les mesures provisoires ?

La journée où votre requête pour mesures provisoires est présentable devant le tribunal, si votre avocat le juge nécessaire vous devrez l'accompagner à la cour. À l'audition de cette requête, la preuve se fait par déclaration sous serment détaillée. Il s'agit d'un écrit énonçant tous les faits qui soutiennent votre demande. Si votre requête comporte des questions se rapportant à la garde des enfants, à leur éducation ou à leur surveillance, votre ex-conjoint et vous pouvez être entendus par le tribunal. Si votre ex-conjoint est absent et n'est pas représenté par un avocat, votre requête peut quand même être entendue, et le tribunal se prononce sur vos demandes.

---

10. *Droit de la famille — 1299*, (1990) R.D.F. 63 (C.S.).

Par ailleurs, si votre conjoint est présent et assisté de son avocat, peut-être que des négociations sont possibles. Si les négociations s'avèrent fructueuses pour les deux parties, les avocats rédigent une entente ou un consentement sur les mesures provisoires que l'on produira au dossier. Le juge entérinera cette convention s'il constate que les droits de chacun ont été respectés.

Par contre, si votre conjoint conteste les mesures provisoires, alors chaque partie fera sa preuve, et jugement sera rendu.

En cas d'urgence, existe-t-il un moyen de procéder plus rapidement que les mesures provisoires ?

Oui, il y a les **mesures intérimaires**. On demande à la Cour supérieure l'émission d'ordonnances intérimaires. Les motifs alors invoqués seront l'urgence de la situation, qui peut être à l'égard de la santé et de la sécurité des parties ou des enfants, de la pension alimentaire, de la garde des enfants, de l'expulsion d'un conjoint pour violence, d'un droit d'usage, etc., le mot à retenir : l'urgence de la situation.

En quoi consistent les mesures conservatoires ?

Après l'étude de votre dossier, votre avocat peut juger pertinent d'effectuer d'autres démarches légales, qui se réaliseront au même moment que les mesures provisoires ou tout au long de l'instance. Il peut s'agir, entre autres, d'un avis au régistrateur, d'un enregistrement de résidence familiale, d'un avis au locateur ou d'une saisie avant jugement.

Qu'est-ce que la dénonciation de la demande au régistrateur ?

L'officier de la publicité des droits (anciennement appelé le régistrateur) est celui qui tient le registre où sont inscrites toutes les transactions concernant les immeubles. Si votre conjoint est le seul propriétaire de la résidence familiale, vous pouvez aviser par huissier l'officier de la publicité des droits (art. 813.4 C.P.C.) que des procédures de séparation de corps ou de divorce sont en cours, et ainsi l'officier l'inscrit dans le registre foncier. Il s'agit alors de la dénonciation de la demande au régistrateur.

Cette dénonciation est également possible à l'égard d'autres immeubles sur lesquels vous pouvez avoir des droits en vertu de votre régime matrimonial (voir la section *Les régimes matrimoniaux*). S'il y a plusieurs immeubles situés dans des districts différents, l'officier de la publicité des droits de chacun de ces districts doit être avisé.

À quoi sert l'enregistrement d'une déclaration de résidence familiale?

L'immeuble ne peut être vendu ou hypothéqué sans le consentement des deux conjoints quand une déclaration de résidence familiale a été inscrite préalablement sur ledit immeuble; alors, si c'est le cas, la nullité peut être demandée.

Et l'avis au locateur?

Si vous êtes locataire mais que vous n'avez pas personnellement signé le bail, vous pouvez aviser le propriétaire que le logement sert de résidence familiale. Dans ce cas, votre conjoint ne pourra mettre fin au bail ou sous-louer l'appartement (art. 403 C.C.Q.).

Quand recourir à la saisie avant jugement?

Si vous avez des motifs sérieux de craindre que votre ex-conjoint vende ou détruise un bien sur lequel vous prétendez avoir des droits, vous pouvez, dans certains cas, obtenir que celui-ci soit temporairement saisi jusqu'à ce qu'un juge se prononce sur la propriété de ce bien. C'est ce qu'on appelle la saisie avant jugement.

La requête en provision pour frais peut-elle vous être utile?

Si vous n'avez pas les moyens de payer les honoraires de votre avocat et que vous n'êtes pas admissible à l'aide juridique, vous pouvez demander au tribunal qu'il ordonne à votre conjoint de vous verser une somme qui servira à acquitter les frais de l'instance.

TABLEAU DU DÉROULEMENT DES PROCÉDURES
SÉPARATION ET DIVORCE

1. Dépôt de la déclaration de séparation ou de divorce (qui comprend les mesures accessoires et, si nécessaire, une requête pour mesures provisoires).

2. Si urgence, ordonnance de mesures intérimaires, en général dans les 5 jours du dépôt des procédures, ou moins.

3. Audition de la requête pour mesures provisoires, s'il y a lieu, **au moins 5 jours** après la signification des procédures.

4. Appel du jugement sur mesures provisoires, **dans les 30 jours de ce jugement.**

    — Séparation : si vous avez déposé une demande en séparation de corps, vous devez obtenir la permission d'en appeler. Cette permission est notamment accordée lorsque le jugement sur mesures provisoires décide en partie du litige ou qu'il ordonne une chose à laquelle le jugement final ne pourra remédier.

    — Divorce : appel de plein droit.

5. Audition de la déclaration de séparation ou de divorce.

    — Si la cause n'est pas contestée, **au moins 20 jours** après le dépôt des procédures*.

6. Jugement de séparation ou de divorce assorti des mesures accessoires, **entre 2 et 4 mois** après l'audition*.

7. Dans les 30 jours suivant le jugement de séparation ou de divorce, possibilité d'appel.

8. Le délai d'attente entre l'inscription en appel et l'audition se divise en deux catégories :

    1) voie accélérée de 3 à 4 mois pour les dossiers moins complexes; exemples : pension alimentaire, droits d'accès, garde d'enfants;

---

* Le délai peut varier selon le district judiciaire.

2) jusqu'à 4 ans pour les dossiers nécessitant un mémoire d'appel; exemples : contestation d'une donation dans un contrat de mariage, prestation compensatoire, etc.

9. Le délai d'attente entre l'audition et le jugement en appel est très court. Règle générale, le jugement est rendu sur le banc (*i.e.* immédiatement) ou dans un délai maximum de 2 mois.

10. En cas de divorce, émission du certificat de divorce, **31 jours*** après le jugement de divorce, à moins qu'il n'y ait appel.

11. La garde des enfants et la pension alimentaire peuvent être modifiées en tout temps après un jugement de séparation ou de divorce.

---

* Le délai peut varier selon le district judiciaire.

6. LA GARDE DES ENFANTS

Johanne Roby, avocate et médiatrice
Lyne Morin, avocate et médiatrice

À quel moment la garde des enfants est-elle décidée ?

En premier lieu, la garde est attribuée au stade des mesures provisoires ou, s'il y a lieu, des mesures intérimaires. Elle est ensuite réévaluée au moment de l'audition sur le fond de la demande en séparation de corps ou de divorce.

Le jugement accordant la garde est-il définitif ?

Non, il ne serait pas dans l'intérêt de l'enfant que les décisions qui le concernent soient définitives. En effet, plusieurs facteurs peuvent modifier sa situation et militer en faveur d'un changement de garde.

Pour obtenir un changement de garde, il faut cependant prouver que des modifications importantes sont survenues depuis le premier jugement. La stabilité du milieu familial est en effet considérée comme un critère très important dans l'attribution de la garde.

Sur quoi se base le tribunal pour déterminer qui aura la garde des enfants ?

Pour déterminer lequel des conjoints obtiendra la garde des enfants, le juge tient compte des critères qui suivent.

1) **L'intérêt de l'enfant** : c'est le critère le plus important et il repose sur un certain nombre d'éléments, soit :

    — l'âge et le sexe de l'enfant ;

    — l'âge et la conduite des parents ;

    — l'opinion de l'enfant ;

    — la possibilité de lui offrir un foyer relativement normal et stable ;

— l'équilibre psychologique de l'enfant;

— l'environnement physique;

— les liens affectifs entre l'enfant et chacun de ses parents;

— le développement intellectuel de l'enfant;

— l'éducation morale ou religieuse.

2) **La volonté des conjoints**: Si les conjoints se sont entendus sur la garde, les visites, les vacances, etc., le juge entérine cette entente s'il estime qu'elle respecte les intérêts de l'enfant.

3) **La conduite de chacun des parents**: On évalue leur attitude vis-à-vis de leur(s) enfant(s). De plus, le juge pourra demander au service d'expertise psychosociale de lui faire ses recommandations quant à la garde des enfants. Sur ordonnance du juge, ce service procède à une évaluation des milieux familiaux et détermine celui qui lui semble le plus apte à recevoir l'enfant. Ce service est gratuit. Si la maturité des enfants le permet, on peut leur demander en cour s'ils préfèrent demeurer avec leur père ou leur mère (il n'y a pas d'âge légal à partir duquel l'opinion d'un enfant est demandée). Le juge n'est toutefois pas lié par leur opinion. Il a entière discrétion en cette matière.

Comment détermine-t-on les droits de visite et de sortie?

Les droits de visite et de sortie peuvent être déterminés par entente entre les conjoints. Cette entente est ensuite entérinée par le tribunal. Si les conjoints ne s'entendent pas, c'est le juge qui décide. Il considère alors l'intérêt de l'enfant et le comportement des conjoints. L'entente prévoit généralement les jours ainsi que les heures de visite et de sortie, de même que la répartition des vacances des fêtes et d'été. Il est généralement admis qu'il est dans l'intérêt des enfants de voir leurs deux parents.

Pierre et Diane se sont séparés peu après la naissance de Vincent, et celui-ci a toujours vécu à Montréal avec sa mère. Un premier jugement accordait à Pierre le droit de voir Vincent une fois par mois à Montréal. Toutefois, ce dernier habitant Baie-Comeau, ses moyens financiers ne lui permettaient pas de voir Vincent régulièrement. Il a alors obtenu un autre jugement l'autorisant à amener Vincent à Baie-Comeau deux semaines durant l'été et cinq jours durant la période des fêtes. Le tribunal lui a de plus accordé deux jours consécutifs de garde chaque fois qu'il viendrait à Montréal. Diane conteste ce jugement. Elle considère en effet que les droits de garde de Pierre devraient s'exercer de façon plus graduelle puisque Vincent n'a que 5 ans et qu'il n'a pas été en contact avec son père plus de 20 heures depuis sa naissance. Le tribunal rejette ses arguments. Il estime qu'il est dans l'intérêt de Vincent de passer occasionnellement quelques jours avec son père, même si celui-ci semble souffrir d'alcoolisme et manquer de maturité. Dans les circonstances, ces traits de caractère ne constituent pas un danger pour Vincent.

De plus, il est assez grand pour faire sans problème le voyage entre Montréal et Baie-Comeau[1].

Le parent peut-il se voir refuser ou perdre ses droits de visite et de sortie ?

Il est possible que les droits de visite ou de sortie soient accordés à certaines conditions. Un parent peut, par exemple, obtenir le droit de visiter son enfant à la condition que les visites soient supervisées. Les visites et les sorties peuvent même être refusées ou supprimées si cela s'avère nécessaire pour protéger l'enfant des mauvaises influences de l'un des parents. Par exemple, dans le cas d'un enfant maltraité ou victime d'inceste, on pourra décider qu'il vaut mieux, dans l'intérêt de l'enfant, qu'un tel droit de visite ne soit pas accordé.

Le fait de ne pas payer une pension alimentaire constitue-t-il un motif pour supprimer les droits de visite et de sortie ?

La décision de refuser ou de supprimer des droits de visite et de sortie demeure exceptionnelle, car les tribunaux hésitent à

---

1. *Droit de la famille — 935*, J.E. 91-151 (C.A.).

rompre les liens parents-enfants. Le fait de ne pas payer une pension alimentaire n'enlève pas les droits de visite et de sortie.

Combien de temps dure un jugement accordant des droits de visite et de sortie ?

Un tel jugement ne comporte généralement pas de limite de temps. Il peut toutefois être révisé par le tribunal lorsque surviennent des faits nouveaux.

À quel conjoint revient le plus souvent la garde des enfants ?

Traditionnellement, c'est la mère qui a la garde des enfants en bas âge. Pourtant, depuis quelques années, on constate que les hommes sont plus nombreux à réclamer et à obtenir la garde de leurs enfants. Le parent qui n'a pas la garde de ses enfants a généralement des droits de visite et de sortie. Il conserve ses responsabilités envers ses enfants et il a le droit d'être consulté pour les décisions importantes les concernant. Il peut s'agir, par exemple, du choix de l'école ou de la décision de lui faire subir une opération. Lorsqu'il y a désaccord entre les parents quant à une telle décision, l'un d'eux peut s'adresser au tribunal pour faire trancher le litige.

Est-ce que les deux parents peuvent avoir la garde des enfants ?

Oui, nous parlons alors de garde conjointe.

Qu'est-ce que la garde conjointe ?

La garde conjointe accorde aux deux parents la garde juridique de leur(s) enfant(s) et leur laisse le soin de déterminer ensemble le temps que l'enfant passera avec chaque parent, et les mesures les plus appropriées à prendre concernant son éducation, l'autorité parentale, sa santé et son bien-être.

La garde conjointe est-elle souvent accordée ?

Oui, mais le critère principal pour qu'une garde conjointe soit accordée par un juge est l'entente entre les deux parents. Par la suite, vient la proximité des domiciles des parents afin que l'enfant puisse continuer à fréquenter la même école ou garderie, ses amis, etc. L'intérêt de l'enfant passe toujours avant ceux des parents; ainsi sa stabilité physique et émotive sera suivie de près.

Habituellement, les parents qui s'entendent pour une garde partagée ont contribué aux obligations quotidiennes concernant leur(s) enfant(s) et désirent continuer à les assumer.

Dans le cas d'absence d'entente entre les parents, le juge peut décider d'accorder une garde conjointe, mais cela arrive très rarement. Le point à retenir est l'entente entre les parents.

Est-ce que l'enfant peut être représenté par un avocat lorsqu'on demande sa garde?

Oui, quand l'intérêt de l'enfant est différent de celui des parents, le juge peut ajourner la demande pour garde d'enfant jusqu'à ce qu'un avocat soit chargé de représenter l'enfant (avocat de l'aide juridique ou nommé d'office en pratique privée, et l'enfant peut le choisir s'il est en mesure de le faire).

7. LA PENSION ALIMENTAIRE

Johanne Roby, avocate et médiatrice
Lyne Morin, avocate et médiatrice

Qu'est-ce qu'une pension alimentaire?

La pension alimentaire est un montant versé par un conjoint, qui sert à satisfaire les besoins courants des enfants et du conjoint s'il y a lieu. Chacun des parents doit contribuer financièrement aux besoins de leurs enfants, en proportion de leur revenu respectif.

Quand pouvez-vous demander une pension alimentaire?

Vous pouvez en faire la demande dans quatre situations.

1) Pendant le mariage. Par exemple, un couple s'est entendu que l'un reste à la maison pour s'acquitter des tâches, tandis que l'autre travaille à l'extérieur. La personne qui travaille à la maison reçoit une somme d'argent pour ce travail. Soudainement, le conjoint payeur cesse de verser le montant. Le conjoint lésé s'adresse alors à la cour pour réclamer son dû. Le recours approprié s'appelle une « requête pour pension alimentaire ».

2) Dans le cas d'une séparation de fait. Par exemple, votre conjoint vient de vous quitter et vous n'avez aucun revenu. Vous pouvez vous adresser à la cour pour que votre conjoint subvienne à vos besoins et à ceux de vos enfants, dans le cadre d'une requête pour pension alimentaire.

3) Dans le cas d'une séparation de corps ou d'un divorce.

4) Après un jugement de séparation de corps ou de divorce, afin de faire réviser le montant de la pension alimentaire. Cette procédure est une requête en modification des mesures accessoires.

Et si vous n'avez pas demandé de pension alimentaire au moment des procédures, que pouvez-vous faire ?

Dans ce cas, trois scénarios sont possibles.

1) Vous avez renoncé à toute pension alimentaire. Si vous avez renoncé à votre droit de réclamer une telle pension de votre ex-conjoint, vous ne pouvez plus revenir sur cette entente et demander au tribunal d'ordonner qu'il vous verse une pension.

Attention! Vous ne pouvez jamais renoncer à une pension alimentaire pour vos enfants.

2) Vous avez réservé votre droit à une pension alimentaire. En général, un conjoint réserve son droit à une pension alimentaire lorsque son ex-époux n'a pas les moyens de lui en verser une au moment du déroulement des procédures. Cette situation peut découler, par exemple, d'une perte d'emploi. Dans ce cas, vous pourrez ultérieurement lui réclamer une pension alimentaire si sa situation financière s'améliore.

3) Le sujet de la pension alimentaire n'a pas été abordé. Il est possible qu'au moment des procédures en divorce ou en séparation de corps, il n'ait pas été question de pension alimentaire. En d'autres termes, vous n'avez pas demandé de pension alimentaire. Vous n'avez pas réservé vos droits et vous n'y avez pas renoncé non plus. Dans un tel cas, le critère déterminant est l'écoulement du temps. En effet, une pension alimentaire est accordée à un conjoint dans la mesure où ses besoins découlent du mariage et de sa rupture. Par exemple, si vous avez subvenu vous-même à vos besoins pendant cinq ans après la séparation ou le divorce et que vous perdez votre emploi, il est fort peu probable qu'un tribunal condamne votre ex-époux à vous verser une pension alimentaire, ce besoin n'étant aucunement relié à l'échec du mariage.

Comment détermine-t-on le montant de la pension alimentaire aux conjoints ?

Lorsque vous faites une demande de pension alimentaire, vous remplissez chez votre avocat un formulaire appelé « État des revenus et dépenses » et un bilan. Vous y inscrivez tous vos revenus ainsi que toutes vos dépenses. C'est à l'aide de cet état des revenus et dépenses que vous pourrez évaluer le montant de la pension alimentaire. Il est important de prévoir l'indexation de la pension alimentaire.

Pour déterminer le montant que vous recevrez au moment des mesures provisoires, le juge se base sur l'évaluation des revenus et des besoins de chaque conjoint.

Au moment de l'audition sur le fond, d'autres critères entrent en jeu. Le tribunal tiendra nécessairement compte des besoins et des revenus des parties de même que des circonstances dans lesquelles elles se trouvent, notamment :

— la durée du mariage, les rôles de chaque conjoint, la scolarité, l'entente alimentaire antérieure, le nombre des enfants et leur âge, l'âge des conjoints, leur état de santé, leur capacité de travailler, etc.

Comment détermine-t-on le montant de la pension alimentaire pour les enfants ?

Lorsque vous faites une demande de pension alimentaire pour votre enfant, vous remplissez chez votre avocat un formulaire de fixation des pensions alimentaires pour enfants (pour plus de détails, voir le chapitre 9, *Les pensions alimentaires pour enfants*).

Attention! Il est très important de faire la distinction entre l'établissement de la pension alimentaire attribuée au conjoint et celui de la pension versée aux enfants. À défaut de telles précisions, la totalité de la pension sera considérée comme versée aux enfants et, donc, non imposable et non déductible (voir chapitre 9, *Les pensions alimentaires pour enfants*).

Comment la pension alimentaire est-elle payée ?

La pension alimentaire est payée soit entièrement en argent, soit en argent et en espèces. On entend par paiement en espèces (ou en nature) un montant versé directement par votre ex-époux pour acquitter certaines de vos dépenses. Il peut s'agir du loyer, du compte d'électricité, d'un paiement hypothécaire, du compte de téléphone, etc.

Habituellement, la pension alimentaire est payée à la semaine ou au mois. Toutefois, la pension alimentaire peut aussi être remplacée ou complétée par une somme globale (voir la section *Qu'est-ce qu'une somme globale ?*).

Attention! Depuis le 1er décembre 1995, la *Loi facilitant le paiement des pensions alimentaires* est en vigueur et ainsi elle permet que la pension alimentaire soit prélevée directement sur la rémunération du payeur (voir chapitre 8, *La* Loi facilitant le paiement des pensions alimentaires).

Durant quelle période la pension alimentaire est-elle payée ?

Habituellement, le conjoint sans travail ou qui occupe un poste peu rémunérateur obtient une pension alimentaire pour la période jugée nécessaire à l'acquisition de son autonomie financière. L'obligation alimentaire est de plus en plus limitée dans le temps. Vous ne pouvez généralement pas espérer recevoir une pension alimentaire à vie. Une telle pension peut toutefois être accordée, par exemple, à une épouse qui s'est consacrée pendant 30 ans à sa famille, qui n'a aucune expérience du marché du travail et qui, au moment de la rupture, est âgée de 58 ans. Il est en effet illusoire de penser qu'une personne dans une situation semblable puisse devenir autonome et gagner correctement sa vie.

Dans quels cas pouvez-vous faire modifier (augmenter ou diminuer) le montant de votre pension alimentaire ?

Vous pouvez faire modifier le montant de votre pension alimentaire et, pour ce faire, vous devez prouver que votre situation financière a changé depuis le jugement. Le recours approprié est une requête en modification.

Il est à noter que la *Loi sur le divorce* a été amendée afin de prévoir que l'entrée en vigueur des nouvelles règles de fixation des pensions alimentaires pour enfants constitue un changement significatif permettant une requête en modification.

Attention! Si vous gagnez un gros lot de 1 000 000 $, votre ex-conjoint ne pourra vous réclamer une augmentation de pension alimentaire si ses besoins avaient été comblés. Toutefois, les enfants ont toujours le droit de bénéficier d'une augmentation du train de vie des parents.

Votre ex-conjoint peut demander une diminution de la pension alimentaire qu'il vous verse. Sa demande doit toutefois être justifiée par un changement substantiel de la situation depuis le premier jugement. Par exemple, il peut alléguer que vous gagnez maintenant un bon salaire et que vos besoins ont diminué. Ou encore, il peut faire valoir que ses revenus ont baissé et qu'il est désormais incapable d'acquitter le montant de la pension alimentaire.

La pension alimentaire peut-elle être annulée?

Oui, la pension alimentaire peut être annulée chaque fois que les circonstances le justifient (art. 594 C.C.Q.). Toutefois, il faut à ce moment prouver que des changements sont survenus dans ses revenus et ses ressources.

> Suzie divorce en 1986. La cour entérine à ce moment un consentement qui prévoit que Gilles, le père, paierait une pension alimentaire de 40 $ par semaine pour leur enfant. En 1993, Gilles présente une requête en annulation de pension alimentaire et des arrérages. Le tribunal reconnaît que les revenus de monsieur sont insuffisants pour payer la pension alimentaire fixée en 1986 puisqu'il vit présentement de prestations de sécurité du revenu. Sauf que le juge a considéré également les ressources de celui-ci. Or, l'ex-mari possède une résidence d'une valeur de 51 500 $ et un REER de 3 500 $. C'est alors que la cour a décidé qu'il n'y a pas lieu d'annuler une pension alimentaire aussi minime, et ce, en considération des ressources[1].

Qu'est-ce qu'une somme globale?

La somme globale est une pension alimentaire versée sous forme de montant global plutôt qu'en versements périodiques. Elle est demandée pour permettre au conjoint qui la reçoit un nouveau départ à la suite de la rupture, par exemple pour se reloger, se

---

1. *Droit de la famille — 1004*, (1993) 312.

racheter des meubles, s'acheter une automobile ou payer des dettes. La somme globale peut être octroyée tant dans le cadre des procédures de séparation de corps que de divorce. Il est à noter que la somme globale peut remplacer la pension alimentaire ou s'ajouter à celle-ci.

> Ronald et Michelle ont été mariés pendant dix-sept ans et ont eu deux enfants qui sont maintenant majeurs. Au moment du divorce, Michelle demande notamment pour elle-même une somme globale afin de lui permettre d'effacer les dettes reliées à la séparation et de lui assurer une certaine sécurité. Le tribunal constate que son mari a une obligation alimentaire à son égard. En effet, Michelle a consacré dix-sept ans de sa vie à sa famille et n'a donc pas pu développer une compétence professionnelle, acquérir de l'ancienneté au sein d'une entreprise ni contribuer à une caisse de retraite. Il faut prendre en considération le fait que Ronald est mieux nanti que Michelle puisqu'il reçoit un salaire annuel de 82 000 $, alors qu'elle ne gagne que 20 000 $ par année. Même si ce salaire assure sa subsistance, Ronald doit l'aider à payer ses dettes et lui assurer une certaine sécurité en vue de la retraite. Il devra donc lui verser une somme globale de 42 000 $ au cours des cinq prochaines années[2].

Pouvez-vous conclure une entente avec votre ex-conjoint au sujet de la pension alimentaire?

Oui, de telles ententes sont valides et même souhaitables. Cependant, elles ne lient pas le tribunal, qui doit vérifier si elles sont bien fondées et respectent les besoins des parties.

La pension alimentaire est-elle indexée?

Oui, la pension alimentaire est indexable de plein droit au 1er janvier de chaque année, selon le taux de la Régie des rentes du Québec. Le tribunal peut ordonner que l'indexation soit à un autre taux, ou que la pension alimentaire ne soit pas indexée, si cette

---

2. *Droit de la famille — 1633*, (1992) R.D.F. 657 (C.S.).

situation a pour effet de créer un déséquilibre entre les besoins de celui qui reçoit la pension et la capacité de celui qui la paye.

Que faire si vous avez des difficultés à percevoir votre pension alimentaire?

Il faut s'adresser au ministère du Revenu. Dans un premier temps, il fera parvenir un avis au payeur et, si ce dernier fait défaut de payer ladite pension alimentaire, le Ministère peut alors saisir son salaire.

Jusqu'à quel âge dois-je payer une pension alimentaire pour mon enfant?

La loi ne détermine pas un âge en particulier.

Le règlement sur la fixation des pensions alimentaires pour enfants prévoit la possibilité qu'une pension alimentaire pour enfants majeurs soit versée, notamment parce qu'il poursuit des études à temps plein. Dorénavant, le parent demandeur peut faire la demande de pension alimentaire pour et au nom de l'enfant majeur (pour plus de détails, voir chapitre 9, *Les pensions alimentaires pour enfants*).

8. LA *LOI FACILITANT LE PAIEMENT DES PENSIONS ALIMENTAIRES*

Annie Dupuis, avocate et médiatrice

1. ENTRÉE EN VIGUEUR DE LA LOI PROVINCIALE

À qui s'applique la *Loi facilitant le paiement des pensions alimentaires*?

Cette loi s'applique à toutes personnes ayant obtenu un jugement fixant une pension alimentaire, et ce, à compter du 1er décembre 1995.

Cette loi s'applique peu importe que le jugement concerne un couple marié ou non. L'application de la loi est immédiate dès qu'il y a un jugement fixant une pension alimentaire, que ce soit pour un conjoint ou un enfant.

Quelle est la principale caractéristique de cette loi?

Cette loi fait en sorte que la pension alimentaire est perçue à même la rémunération du payeur et est versée directement par le ministère du Revenu.

Combien de fois par mois la pension alimentaire sera-t-elle versée au bénéficiaire?

Deux fois par mois. De même que la pension qui est également prélevée deux fois par mois sur la rémunération du payeur.

Comment l'employeur doit-il procéder?

Lorsque le payeur est condamné à verser une pension alimentaire, l'employeur du payeur reçoit un avis du ministère du Revenu à l'effet qu'il doit prélever sur la paie de son salarié un montant précis qu'il doit transmettre au ministère du Revenu.

Comment le versement au ministère du Revenu s'effectue-t-il en ce qui concerne les travailleurs autonomes?

Ceux-ci devront verser un montant (appelé réserve) équivalent à trois mois de pension alimentaire auprès du ministère du Revenu du Québec.

Ensuite, ils verseront deux fois par mois la pension au ministère du Revenu qui verra à l'acheminer au bénéficiaire.

Est-ce qu'il peut arriver que le ministère du Revenu du Québec verse une avance au bénéficiaire de la pension?

Oui, il peut arriver que le ministère du Revenu verse une avance au bénéficiaire. De telles avances peuvent être d'au plus 1000 $, et ce, sur une période de trois mois.

Le Ministère versera des avances le temps que commence le paiement de la pension par le payeur.

Attention! Cette loi prévoit que lorsque le payeur est introuvable ou insolvable, aucune avance ne sera versée. De plus, toute somme d'argent avancée et qui aurait été reçue sans y avoir droit devra être remboursée au Ministère.

Qu'arrive-t-il si le travailleur autonome ne paie plus la pension alimentaire?

Le ministère du Revenu versera la pension à même la réserve qui a été constituée et prendra les recours appropriés pour percevoir la pension.

Quels sont les recours dont dispose le ministère du Revenu pour percevoir la pension?

Le ministère du Revenu dispose d'une panoplie de recours, allant de la saisie de biens, à la possibilité de retenir les remboursements d'impôts et même d'exiger de l'institution financière du payeur de lui verser une somme disponible sur une marge de crédit. Le Ministère peut également exiger d'une personne qui doit de l'argent au payeur que les sommes lui soient versées.

Pierre doit verser une pension alimentaire pour son ex-épouse et ses enfants. Il omet de le faire. Pierre est propriétaire d'un immeuble à revenus. Le ministère du Revenu peut transmettre un avis de saisie des loyers afin que les locataires paient leur loyer au Ministère plutôt qu'à Pierre. Le Ministère se servira de cet argent pour verser la pension alimentaire.

2. JUGEMENTS RENDUS AVANT LE 1er DÉCEMBRE 1995

La loi s'applique-t-elle aux jugements rendus avant le 1er décembre 1995?

Rien ne change pour ces jugements. La pension alimentaire est versée directement au bénéficiaire par le payeur.

La nouvelle loi s'applique-t-elle si une décision vient modifier un jugement rendu avant le 1er décembre 1995?

Non, cette nouvelle loi ne s'appliquera pas. La loi prévoit que ces jugements restent soumis à la façon de faire habituelle, à moins que les deux conjoints ne le désirent, qu'il y ait un défaut de paiement de la pension ou que le dossier soit entre les mains du percepteur des pensions alimentaires.

La loi peut-elle s'appliquer si l'un des conjoints le désire?

Non. Pour que la loi s'applique il faut que les deux personnes fassent conjointement la demande au greffe de la Cour supérieure. Ce dernier verra à transmettre la demande au ministère du Revenu.

Qu'arrive-t-il si le payeur fait défaut de verser la pension alimentaire?

Depuis le 16 mai 1996, le ministère du Revenu prend en charge ces dossiers. Le bénéficiaire n'ayant pas reçu sa pension n'a qu'à communiquer avec le service des pensions alimentaires du ministère du Revenu, qui verra à percevoir la pension.

Qu'arrive-t-il si, au moment où le jugement est transmis au ministère du Revenu, des arrérages sont dus au bénéficiaire ?

Le ministère du Revenu saisira un montant plus élevé afin de rembourser les arrérages de pension alimentaire. Il peut les rajouter à la pension alimentaire jusqu'à concurrence de la partie saisissable du salaire du payeur.

3. APPLICATION OU EXEMPTION DE LA LOI PROVINCIALE

Les gens soumis à cette loi peuvent-ils être exemptés de son application ?

Oui, les gens soumis à cette loi peuvent en être exemptés. À cette fin, il faut qu'il y ait consentement mutuel des deux parties et que le payeur dépose une sûreté (bons du trésor, lettre de garantie bancaire) qui équivaut à trois mois de pension.

> Louis est travailleur salarié. Il doit verser à Lucie la somme de 300 $ par mois à titre de pension alimentaire. Lucie accepte que Louis lui verse directement la pension alimentaire. Louis doit alors verser au ministère du Revenu la somme de 900 $ avant de commencer à payer la pension directement à Lucie.

Doit-on fournir certains documents au ministère du Revenu pour l'application de cette loi ?

Oui. Chaque conjoint doit remplir une déclaration assermentée (art. 827.5 C.P.C.) que nous pouvons obtenir au greffe de la Cour supérieure (voir copie qui suit).

Où communiquer :

> Ministère du Revenu
> Service de perception des pensions alimentaires
> 1-800-488-2323

EXEMPLE DE DÉCLARATION ASSERMENTÉE

CANADA
Province de Québec
District de

N° du dossier:

**DEMANDE AU GREFFIER CONCERNANT
L'APPLICATION DE L'ARTICLE 99, PARAGRAPHE 1° OU 2°,
DE LA LOI FACILITANT LE PAIEMENT
DES PENSIONS ALIMENTAIRES (1995, c. 18)**

(Veuillez remplir en caractères d'imprimerie)

PARTIE A: INFORMATIONS SUR LA PARTIE DÉBITRICE DE LA PENSION ALIMENTAIRE

1. Nom(s):
   Prénoms(s):

2. Nom de famille
   à la naissance:

3. Sexe: M (   ) F (   )   4. Langue: Français (   ) Anglais (   )

5. Adresse de résidence:

   Code postal: Province: Pays:
   Téléphone à la résidence: (   )   Au travail: (   )

   Adresse postale (si différente):

   Code postal: Province: Pays:

6. Date de naissance (AAAA/MM/JJ):   N° d'assurance sociale:

INFORMATIONS SUR L'EMPLOI ET LES REVENUS

7. Travailleur salarié (   )   Travailleur autonome (   )

   Adresse au travail:

   Code postal: Province: Pays:

   Rémunération: Langue de communication: Français (   ) Anglais (   )

8. La partie débitrice est sans emploi: (   )

9. La partie débitrice reçoit des prestations de sécurité du revenu (   ) N° du dossier (CP 12):

10. Autres revenus: (Indiquer la source et le montant de chacun)

AUTRES INFORMATIONS SUR LA PARTIE DÉBITRICE

11.   Le nom, à sa naissance, de la mère de la partie débitrice :

12.   Autre(s) nom(s) utilisé(s) par la partie débitrice :

PARTIE B : INFORMATIONS SUR LA PARTIE CRÉANCIÈRE DE LA PENSION ALIMENTAIRE

13.   Nom(s) :
       Prénom(s) :

14.   Nom de famille
       à la naissance :
       Autre(s) nom(s) utilisé(s) par la partie créancière :

15.   Sexe : M (   ) F (   )   16.   Langue : Français (   ) Anglais (   )

17.   Adresse de résidence :

       Code postal :   Province :   Pays :
       Téléphone à la résidence : (   )   Au travail : (   )

       Adresse postale (si différente) :

       Code postal :   Province :   Pays :

18.   Date de naissance (AAAA/MM/JJ) :   N° d'assurance sociale :

18b. La partie créancière reçoit des prestations de sécurité du revenu (   )
       N° du dossier (CP 12) :

                                             (Suite sur la page suivante →)

CANADA
Province de Québec
District de

N° du dossier :

**DEMANDE AU GREFFIER (SUITE) CONCERNANT
L'APPLICATION DE L'ARTICLE 99, PARAGRAPHE 1° OU 2°,
DE LA LOI FACILITANT LE PAIEMENT
DES PENSIONS ALIMENTAIRES (1995, c. 18)**

(Veuillez remplir en caractères d'imprimerie)

PARTIE C : INFORMATIONS SUR LA CRÉANCE ALIMENTAIRE

19. La pension est payable pour: le créancier seulement (   );
le créancier et l'(les) enfant(s) (   ); l'(les) enfant(s) seulement (   );
non spécifié au jugement (   ).

19b. Le montant original de la pension est de $, payable le(s)

20. La pension est indexée: Suivant la loi (R.R.Q.) (   );
suivant l'indice déterminé au jugement qui est de
Selon les termes du jugement, la pension n'est pas indexée (   ).

21. Le taux d'intérêt applicable aux versements échus de la pension est :
Le taux légal (   ); le taux déterminé par le jugement qui est de   %.

Plus l'indemnité additionnelle (   )

PARTIE D : INFORMATIONS SUR LES ARRÉRAGES
    (Ne remplir que si la demande est faite en vertu du par. 1° de l'article 99 de la loi)

22. La pension alimentaire est impayée depuis le

23. Le solde du capital des arrérages, tels qu'accumulés jusqu'à ce jour, est de $

Le solde des intérêts, tels qu'accumulés jusqu'à ce jour, est de $

PARTIE E : DÉCLARATION DU CRÉANCIER
    (Ne remplir que si la demande est faite en vertu du par. 1° de l'article 99)

24. Je dépose au soutien de cette demande d'exécution une copie du jugement rendu le

25. Je déclare que les renseignements donnés sont exacts et complets, et je signe:

à :   le   ième jour de

_____

Partie créancière

Déclaration faite sous serment devant moi à   le   ième jour de

_____

Personne habilitée à recevoir le serment

PARTIE F: DÉCLARATION DES PARTIES
(Ne remplir que si la demande est faite en vertu du par. 2° de l'article 99)

26.   Nous demandons conjointement que nous soient rendues applicables dès à présent les dispositions de la Loi facilitant le paiement des pensions alimentaires (1996, chapitre 18).

27.   Nous déposons au soutien de cette demande une copie du jugement rendu le

28.   Nous déclarons que les renseignements donnés sont exacts et complets, et nous signons :

à :   le   ième jour de

_____
Partie créancière

Déclaration faite sous serment devant moi à   le   ième jour de

_____
Personne habilitée à recevoir le serment

à :   le   ième jour de

_____
Partie débitrice

Déclaration faite sous serment devant moi à   le   ième jour de

_____
Personne habilitée à recevoir le serment

9. LES PENSIONS ALIMENTAIRES POUR ENFANTS

Annie Dupuis, avocate et médiatrice

A. LA DÉFISCALISATION DE LA PENSION ALIMENTAIRE POUR ENFANTS

NOUVELLES DISPOSITIONS — ENTRÉE EN VIGUEUR EN MAI 1997

Le gouvernement fédéral a instauré une nouvelle disposition concernant l'imposition de la pension alimentaire pour un enfant. Ainsi, les jugements de pensions alimentaires pour enfants rendus depuis le 1er mai 1997 sont défiscalisés, c'est-à-dire que la pension est non imposable pour celui qui la reçoit et non déductible pour celui qui la paie.

À signaler. Par ailleurs, en ce qui concerne les jugements rendus avant cette date, il n'y a aucun changement. Les gens concernés par ces dispositions peuvent consulter les pages 56 et suivantes.

Attention! Cette nouvelle loi ne s'applique pas à la pension alimentaire versée pour un conjoint. Cette dernière sera imposable pour son bénéficiaire et déductible pour le payeur, et ce, peu importe que le jugement ait été rendu avant ou après le 1er mai 1997.

1. JUGEMENTS RENDUS À COMPTER DU 1er MAI 1997

La pension alimentaire est-elle imposable à compter de mai 1997 ?

Non. Pour les nouveaux jugements rendus depuis le 1er mai 1997, la pension alimentaire versée pour les enfants n'est plus imposable.

Cette pension est-elle déductible pour le payeur ?

Non. Comme la pension alimentaire n'est plus imposable, il n'y a pas de possibilité de la déduire.

Comment le montant de la pension sera-t-il fixé ?

Le montant de la pension alimentaire pour enfants est dorénavant établi suivant un formulaire de fixation des pensions alimentaires (établi au provincial), et cela pour autant que l'enfant et le parent non gardien demeurent tous deux au Québec.

À signaler.   Dans les cas où l'enfant et le parent non gardien ne demeurent pas tous les deux au Québec, c'est de la province du domicile du parent non gardien qu'il faut tenir compte pour connaître de quelle façon sera fixée la pension alimentaire.

Charles gagne un revenu de 35 000 $ par an et a deux enfants pour lesquels il doit verser une pension alimentaire. Charles habite la province de l'Ontario. Il devra verser à son ex-conjointe, pour ses enfants, la somme de 506 $ par mois. Son ex-conjointe ne paiera pas d'impôts sur cette somme, et ce, suivant la table incluse dans le document *Budget fédéral 1996.*

Cette loi s'applique-t-elle pour la pension versée à un ex-conjoint ?

Non. La pension alimentaire versée pour l'ex-conjoint continuera d'être imposable pour celui qui la reçoit, et donc déductible d'impôts pour celui qui la paie.

Le jugement fixant la pension alimentaire n'indique pas si elle est payable pour les enfants ou pour le conjoint et les enfants. De quelle façon la loi s'applique-t-elle ?

À ce moment, la totalité du montant sera considérée comme étant versée pour les enfants. Donc, ni imposable, ni déductible.

2. JUGEMENTS RENDUS AVANT LE 1er MAI 1997

Qu'arrive-t-il des jugements rendus avant mai 1997?
La nouvelle loi s'applique-t-elle?

Non. Si aucune démarche n'est faite, la pension demeure imposable et déductible. Pour que le système s'applique, il faudra :

— la présentation d'une nouvelle requête en modification de pension alimentaire, la *Loi sur le divorce* ayant été amendée de sorte que l'entrée en vigueur de ces nouvelles dispositions constitue un changement significatif permettant l'introduction d'une telle requête;

— un accord qui prévoit que les nouvelles règles s'appliqueront à compter d'une date précise;

— la signature des deux parents sur un formulaire attestant leur volonté de voir les nouvelles dispositions s'appliquer. Le formulaire disponible auprès de Revenu Canada porte le numéro T1157 et celui de Revenu Québec le numéro TP312.

Pierre et Annie sont divorcés et ont deux enfants mineurs. Pierre verse 600 $ par mois de pension alimentaire à Annie pour les enfants. En mai 1997, ceux-ci s'entendent afin que la pension alimentaire pour les enfants ne soit plus imposable, ni déductible et signent le formulaire prévu à cette fin par Revenu Canada.

Si l'un des conjoints n'est pas d'accord pour modifier l'entente afin que les nouvelles dispositions s'appliquent, qu'arrive-t-il?

À ce moment, il faut aller devant la cour pour entreprendre une requête en modification de pension alimentaire. Donc, celui qui ne veut pas modifier l'entente n'aura pas le choix, et la pension alimentaire sera fixée de même qu'elle sera non imposable, ni déductible.

Attention!   Il ne faut pas oublier que le barème fixé par les instances gouvernementales est précis, mais les règles prévoient que les dépenses occasionnées pour les enfants pourront être ajoutées à celui-ci. Ce peut être le cas, par exemple, d'un couple ayant un enfant handicapé, celui-ci nécessitant une somme d'argent plus élevée que celle prévue au barème, compte tenu des soins qu'il requiert (pour plus d'information sur la fixation de la pension alimentaire pour enfants, voir pages 51 et suivantes).

Le fait de défiscaliser la pension alimentaire en modifie-t-il le montant?

Non. Le fait de signer les formulaires disponibles à Revenu Canada ne modifie pas le montant de la pension alimentaire. Il sera le même, mais dorénavant non imposable et non déductible.

Si après avoir opté pour la défiscalisation de la pension, nous nous apercevons que le choix n'était pas adéquat dans notre situation, peut-on revenir en arrière?

Non. Le choix que vous aurez fait en optant pour la défiscalisation est définitif. Vous ne pourrez pas revenir en arrière. Donc, il est souhaitable d'étudier soigneusement les choix offerts avant de faire une modification.

À signaler.   Lorsqu'il s'agit d'un cas de divorce, il peut y avoir fixation d'une pension pour le conjoint et/ou pour les enfants.

Toutefois, les derniers amendements à la *Loi sur le divorce* prévoient qu'une priorité sera accordée à la fixation de la pension alimentaire pour les enfants. Ainsi, même si la loi prévoit un droit à une pension pour le conjoint, cela dépendra de la capacité de payer du « payeur » après l'établissement de la pension alimentaire pour les enfants.

B. LOI PROVINCIALE — FIXATIONS DES PENSIONS ALIMENTAIRES

Des changements sont apportés par les gouvernements fédéral et provinciaux eu égard à la fixation des pensions alimentaires pour enfants. De nouveaux barèmes beaucoup plus précis s'appliquent dorénavant à la pension alimentaire pour les enfants.

Quel est le but des nouvelles dispositions concernant la fixation des pensions alimentaires?

Le *Code de procédure civile* édicte la contribution parentale de base. Les aliments exigibles d'un parent pour son enfant représentent sa part de la contribution parentale.

De quelle façon s'établit la fixation de la pension?

Il y a tout d'abord calcul du revenu disponible des parents; celui-ci correspond, sur la « table de fixation de la contribution alimentaire de base », à un montant préétabli pour le nombre d'enfants par famille. Par la suite, les parents établiront le pourcentage selon lequel les parents ont la garde de leurs enfants (% de temps) et la pension sera ajustée suivant ce facteur.

Le montant fixé par la « table de fixation de la contribution alimentaire de base » est-il obligatoire ou y a-t-il moyen de le modifier?

Le montant préétabli peut être modifié pour tenir compte de certains frais relatifs à l'enfant eu égard aux besoins et facultés de chacun. Dans le formulaire de fixation des pensions alimentaires pour enfants, il est prévu, à sa partie 7, qu'une entente entre les parents peut être différente de celle énoncée au formulaire. Les parents doivent préciser les motifs de l'entente.

Y a-t-il d'autres motifs justifiant la modification de la pension alimentaire préétablie?

Oui. Le tribunal peut augmenter ou diminuer le montant des aliments pour tenir compte des facteurs suivants :

— les frais reliés à l'exercice des droits d'accès;

— l'obligation alimentaire exercée à l'égard d'autres enfants;

— les dettes raisonnablement contractées pour les besoins des enfants;

— la valeur de l'actif des parents;

— l'importance des ressources dont dispose l'enfant.

Le tribunal se réserve le droit de vérifier le montant établi par les parents, et ce, afin que ce montant pourvoie adéquatement aux besoins des enfants.

La personne lésée par le montant de la pension alimentaire peut aussi invoquer les difficultés excessives causées par le paiement de cette pension établie selon le formulaire.

Comment se fait la demande au tribunal?

Un formulaire de « fixation des pensions alimentaires pour enfants » doit être rempli par les deux parents. Sans ce formulaire, la demande n'est pas recevable.

De même, le défendeur à l'action doit remplir ce formulaire, et ce, au moins un jour avant l'audition de la requête.

Dans la fixation de la pension alimentaire, de quels facteurs est-il tenu compte?

Des éléments tels la proportion de revenu disponible, les frais de garde, les frais d'études postsecondaires et les frais particuliers pour l'enfant (ex.: si l'enfant est handicapé et que les frais sont plus élevés).

De quelle façon la situation de l'enfant majeur est-elle prévue dans ces règles?

Le règlement s'appliquant à la fixation des pensions alimentaires pour enfants prévoit que le parent « gardien » de l'enfant majeur et qui poursuit des études est mandataire de ce dernier afin de prendre le recours pour obtenir une pension alimentaire. Le règlement prévoit de plus, que le tribunal peut fixer un montant de pension alimentaire autre que celui inscrit au formulaire de fixation des pensions alimentaires pour enfants, afin de tenir compte des circonstances dans lesquelles se trouve l'enfant. Ces circonstances sont, notamment, son âge, sa scolarité, son lieu de résidence, son état civil, son autonomie, etc.

Le paiement de la pension alimentaire s'éteint-il automatiquement à l'âge de 18 ans ?

Non, le tribunal peut ordonner le paiement d'une pension alimentaire. Il tiendra compte de plusieurs facteurs, dont l'âge, l'état de santé, le niveau de scolarité ou la nature des études de l'enfant. Son degré d'autonomie, son état matrimonial ainsi que son lieu de résidence sont également des éléments qui seront pris en considération.

Attention! La situation des enfants majeurs est du cas par cas. En effet, chacun des enfants est différent et leur situation l'est tout autant. L'arrêt du paiement de la pension à 18 ans n'est donc pas automatique et devra être étudié en tenant compte de la situation de l'enfant.

Si les parents exercent une garde partagée, y aura-t-il paiement d'une pension alimentaire ?

La situation financière de chacun des parents sera considérée et il y aura calcul du revenu disponible. Le formulaire de fixation de pension alimentaire des enfants prévoit, dans une section précise, de quelle façon sera établi le montant de la pension alimentaire. On peut se référer à la partie 5, section 3 du formulaire.

De quelle façon le calcul de la pension se fera-t-il en cas de garde partagée ?

Il y aura tout d'abord établissement du pourcentage de répartition de la garde. Le calcul se fait en divisant le nombre de jours de garde par 365, multiplié par 100. Par la suite, il y aura calcul du coût de la garde pour chaque parent. Il y aura garde partagée lorsque chacun des parents assume au moins 40 % du temps de garde des enfants.

La pension sera le résultat obtenu en soustrayant la contribution alimentaire annuelle du coût de la garde pour chaque parent.

Exemple :

	Père	Mère
— Facteur (%) de répartition de la garde	50,1	49,9
— Contribution alimentaire annuelle de chaque parent	4000 $	2000 $
— Coût de la garde pour chaque parent	2000 $	2000 $
— Pension alimentaire annuelle à payer	2000 $	0 $

La pension alimentaire à verser par le père à la mère, même s'ils exercent la garde partagée, sera de 2000 $ compte tenu des capacités financières de la mère.

À signaler. Le formulaire sur la fixation des pensions alimentaires prévoit diverses situations de la vie de tous les jours. À peu près tous les cas de garde y sont prévus.

La loi introduit une nouveauté, soit « l'ajustement pour droit de visite et de sortie prolongée ». Cette nouvelle notion trouve son application lorsque le parent non gardien assume entre 20 et 40 % du temps de garde du (des) enfant(s). Il y aura alors calcul du nombre de jours de garde par chacun des parents. Le pourcentage excédant 20 % est soustrait de 20 %, et la somme ainsi obtenue vient diminuer le montant de la contribution annuelle à payer par le parent non gardien.

À signaler. Le règlement prévoit que la pension alimentaire exigible d'un parent pour son enfant ne peut excéder la moitié de son revenu exigible.

Qu'en est-il de la pension alimentaire pour conjoint ?

La méthode de calcul de la pension alimentaire pour conjoints est demeurée la même qu'auparavant. Cela signifie qu'il y aura calcul suivant « l'état des revenus et dépenses et bilans ». Il y aura établissement du montant selon, d'une part, la capacité de payer du payeur et, d'autre part, les besoins du bénéficiaire de la pension alimentaire. La pension pour le conjoint sera établie après celle des enfants et, par ailleurs, la pension pour conjoint demeure imposable et déductible.

CANADA
Province de Québec
District de

**EXEMPLE DE FORMULAIRE DE FIXATION DES
PENSIONS ALIMENTAIRES POUR ENFANTS**

Nº du dossier :

(Remplir en caractères d'imprimerie)

Les parents peuvent remplir ensemble le formulaire et y joindre les documents requis. À défaut, le parent qui le remplit est tenu de fournir les informations et de produire les documents qui le concernent. Il peut également indiquer les informations qu'il connaît concernant l'autre parent.

PARTIE 1 - IDENTIFICATION

100 Nom _____ Prénom(s) _____
      (Identification du père)

101 Nom _____ Prénom(s) _____
      (Identification de la mère)

Indiquer la date de naissance de chacun des enfants visés par la demande

102	Année	Mois	Jour	105	Année	Mois	Jour
103	Année	Mois	Jour	106	Année	Mois	Jour
104	Année	Mois	Jour	107	Année	Mois	Jour

PARTIE 2 - ÉTAT DES REVENUS DES PARENTS

(Indiquer les revenus pour l'année courante ou, s'il y a lieu, les revenus prévisibles pour les 12 prochains mois. Joindre une copie des déclarations d'impôt fédérale et provinciale ainsi que les avis de cotisation pour la dernière année fiscale _____)

	PÈRE	MÈRE
200 Salaire brut (Joindre relevé de paye)	_____	_____
201 Commissions / Pourboires	_____	_____
202 Revenus nets d'entreprise et de travail autonome (Joindre états financiers)	_____	_____
203 Prestations d'assurance-emploi	_____	_____

	PÈRE	MÈRE

204   Pension alimentaire versée par un tiers et
reçue à titre personnel _____ _____

205   Prestations de retraite, d'invalidité ou autres _____ _____

206   Intérêts et dividendes et autres revenus
de placements _____ _____

207   Loyers nets
(Joindre un état des revenus et dépenses relatif
à l'immeuble) _____ _____

208   Autres revenus
(À l'exception des transferts gouvernementaux reliés
à la famille, des prestations de sécurité du revenu
et des prestations APPORT)
(Spécifier : _____) _____ _____

209   **TOTAL**
(Additionner les lignes 200 à 208) _____ _____

PARTIE 3 - CALCUL DU REVENU DISPONIBLE DES PARENTS

300   Revenu annuel
(Ligne 209) _____ _____

301   Déduction de base 9 000 $ 9 000 $

302   Déduction pour les cotisations syndicales _____ _____

303   Déduction pour les cotisations professionnelles _____ _____

304   Total des déductions
(Additionner les lignes 301 à 303) _____ _____

305   Revenu disponible de chaque parent
(Ligne 300 - ligne 304) Inscrire 0 si négatif _____ _____

306   Revenu disponible des deux parents
(Additionner les montants de la ligne 305) ▓▓▓▓▓▓▓▓

307   Facteur (%) de répartition des revenus
(Revenu disponible du père (ligne 305 ÷ ligne 306 × 100) ▓▓▓▓▓▓▓ %
(Revenu disponible de la mère (ligne 305 ÷ ligne 306 × 100) ▓▓▓▓▓▓▓ %

		PÈRE	MÈRE
PARTIE 4 - CALCUL DE LA CONTRIBUTION ALIMENTAIRE ANNUELLE DES PARENTS			

400 Nombre d'enfants visés par la demande _____

401 Contribution alimentaire parentale de base selon le revenu disponible des deux parents (Ligne 306) et selon le nombre d'enfants (Ligne 400)
(Voir table à l'annexe II)

402 Contribution alimentaire parentale de base de chacun des parents
(Ligne 401 × ligne 307)

403 Frais de garde _____

404 Frais d'études postsecondaires _____

405 Frais particuliers
(Spécifier : _____) _____

406 Total des frais
(Additionner les lignes 403 à 405)

407 Contribution de chacun des parents aux frais
(Ligne 406 × ligne 307)

PARTIE 5 - CALCUL DE LA PENSION ALIMENTAIRE ANNUELLE SELON LE TEMPS DE GARDE
(Identifier la section correspondant à votre situation et ne compléter que cette section. La pension alimentaire à payer calculée conformément à la présente partie présume que le total des frais (Ligne 406) est payé par le parent qui reçoit la pension. Dans le cas contraire, effectuer les ajustements requis à la ligne 512.1, 518.1, 526.1, 534.1 ou 552.1, selon votre situation et en donner les motifs)

Section 1   Garde exclusive
(Remplir cette section si un parent assume plus de 60 % du temps de garde à l'égard de tous les enfants)

510 Identifier le parent non gardien («X») _____ _____

511 Contribution alimentaire annuelle des deux parents
(Ligne 401 + ligne 406) _____

512 Pension alimentaire annuelle à payer par le parent non gardien
(Ligne 511 × ligne 307)

512.1 Pension alimentaire annuelle à payer ajustée
Motif : _____

		PÈRE	MÈRE

**Section 1.1   Ajustement pour droit de visite et de sortie
prolongé**
(Remplir cette section si le parent non gardien assume un
droit de visite et de sortie se situant entre 20 % et 40 % du
temps de garde)

513   Identifier le parent non gardien («X»)   _____   _____

514   Contribution alimentaire annuelle des deux parents
(Ligne 401 + ligne 406)   _____

515   Pourcentage du temps de garde pour l'exercice du droit
de visite et de sortie prolongé   _____ %
(Nombre de jours ▨ ÷ 365 × 100)

516   Compensation pour droit de visite et de sortie prolongé
(Pourcentage de la ligne 515 ▨ – 20 % = ▨% × ligne 401)   _____

517   Contribution alimentaire annuelle ajustée des deux parents
(Ligne 514 – ligne 516)   _____

518   Pension alimentaire annuelle à payer par le parent non gardien
(Ligne 517 × ligne 307)   ▨▨▨▨▨

518.1 Pension alimentaire annuelle à payer ajustée
Motif : _____   ▨▨▨▨▨

Section 2   Garde exclusive attribuée à chacun des parents
(Remplir cette section si chaun des parents assume la
garde exclusive d'au moins un des enfants)

520   Indiquer le nombre d'enfants sous la garde du père   _____

521   Indiquer le nombre d'enfants sous la garde de la mère   _____

522   Contribution alimentaire parentale de base de
chacun des parents (Ligne 402)   _____   _____

523   Coût moyen par enfant
(Ligne 401 ÷ ligne 400)   _____

524   Coût de la garde pour chaque parent
(Père : ligne 523 × ligne 520)   _____
(Mère : ligne 523 × ligne 521)   _____

525   Pension alimentaire annuelle de base
(Ligne 522 – ligne 524) Inscrire 0 si négatif   _____   _____

526   Pension alimentaire annuelle à payer
(Ligne 525 + ligne 407) Inscrire 0 si ligne 525 égale 0   ▨▨▨▨   ▨▨▨▨

526.1 Pension alimentaire annuelle à payer ajustée
Motif : _____   ▨▨▨▨

PÈRE   **MÈRE**

Section 3   **Garde partagée**
(Remplir cette section si chacun des parents assume au moins 40 % du temps de garde à l'égard de tous les enfants)

530   Facteur (%) de répartition de la garde
(Père : nombre de jours de garde ▬▬▬ ÷ 365 × 100)   _____ %
(Mère : nombre de jours de garde ▬▬▬ ÷ 365 × 100)   _____ %

531   Contribution alimentaire parentale de base de chacun des parents
(Ligne 402)   _____   _____

532   Coût de la garde pour chaque parent
(Ligne 401 × ligne 530)   _____   _____

533   Pension alimentaire annuelle de base
(Ligne 531 − ligne 532) Inscrire 0 si négatif   _____   _____

534   Pension alimentaire annuelle à payer
(Ligne 533 + ligne 407) Inscrire 0 si ligne 533 égale 0   ▬▬▬▬   ▬▬▬▬

534.1   Pension alimentaire annuelle à payer ajustée
Motif : _____   ▬▬▬▬

Section 4   **Garde exclusive et garde partagée simultanées**
(Remplir cette section si au moins un des parents assume la garde exclusive d'au moins un enfant et si les parents assument la garde partagée d'au moins un autre enfant)

540   Coût moyen par enfant
(Ligne 401 ÷ ligne 400)   _____

541   Nombre d'enfants visés par la garde exclusive   _____   _____

542   Coût de la garde des enfants visés par la garde exclusive
(Ligne 540 × ligne 541)   _____   _____

543   Contribution alimentaire de base des parents
(Ligne 542 × ligne 307)   _____   _____

544   Écart entre le coût de la garde et la contribution alimentaire de base
(Ligne 542 − ligne 543) Inscrire 0 si le résultat est négatif   _____   _____

545   Pension alimentaire annuelle de base pour les enfants en garde exclusive
(Père : ligne 544 de la mère − ligne 544 du père)
Inscrire 0 si le résultat est négatif
(Mère : ligne 544 du père − ligne 544 de la mère)
Inscrire 0 si le résultat est négatif   _____   _____

546   Nombre d'enfants visés par la garde partagée   _____

	PÈRE	MÈRE

547 Coût de la garde des enfants visés par la garde partagée
(Ligne 540 × ligne 546)

548 Facteur (%) de répartition de la garde partagée
(Père : nombre de jours de garde _____ ÷ 365 × 100)   _____ %
(Mère : nombre de jours de garde _____ ÷ 365 × 100)   _____ %

549 Contribution alimentaire parentale de base de chacun
des parents pour les enfants en garde partagée
(Ligne 547 × ligne 307)

550 Coût de la garde partagée pour chaque parent
(Ligne 547 × ligne 548)

551 Pension alimentaire annuelle de base
(Ligne 545 + ligne 549 = _____ − ligne 550) Inscrire 0 si négatif

552 Pension alimentaire à payer
(Ligne 551 + ligne 407) Inscrire 0 si ligne 551 égale 0

552.1 Pension alimentaire annuelle à payer ajustée
Motif : _____

PARTIE 6 - CAPACITÉ DE PAYER DU DÉBITEUR

600 Revenu disponible du parent devant payer la pension alimentaire
(Ligne 305)

601 Multipliez la ligne 600 par 50 %

602 Pension alimentaire annuelle à payer selon les calculs
d'une des sections de la partie 5

603 Pension alimentaire annuelle à payer
(Inscrire le montant le moins élevé des lignes 601 et 602)

PARTIE 7 - ENTENTE ENTRE LES PARENTS
(Compléter cette partie si les parents conviennent d'un montant de pension alimentaire à payer différent du montant cal-
culé selon l'une des sections de la partie 5 ou de la partie 6
du présent formulaire)

700 Pension alimentaire annuelle à payer

701 Pension alimentaire annuelle à payer selon l'entente convenue
entre les parents

702 Indiquer l'écart entre les deux montants
(Ligne 700 − ligne 701)

703 Énoncer avec précision les motifs de cet écart

_____

_____

_____

_____

_____

_____

_____

_____

_____

_____

_____

PARTIE 8 - ÉTAT DE L'ACTIF DE CHAQUE PARENT

Section 1   État de l'actif et du passif du père   **VALEUR**

Actif
(Indiquer l'argent comptant, les sommes en dépôt dans des comptes de banque ou d'autres institutions financières et la valeur marchande des biens par catégories (sans tenir compte des dettes qui y sont rattachées) : immeubles, meubles, automobiles, oeuvres d'art, bijoux, actions, obligations, intérêts dans une entreprise, autres placements, régimes de retraite, régimes d'épargne-retraite, créances, etc.)

_____   _____

_____   _____

_____   _____

_____   _____

_____   _____

_____   _____

_____   _____

                    TOTAL   _____

VALEUR

Passif

(Indiquer les dettes ou engagements financiers de toute nature contractés sous forme de prêt ou d'ouverture de crédit (prêt hypothécaire, prêt personnel, marge de crédit, cartes de crédit, ventes à tempérament, cautionnements, etc.) ou que vous devez payer en application d'une loi (dettes fiscales, cotisations, redevances et autres droits impayés, etc.) ou d'une décision d'un tribunal (dommages-intérêts, pensions alimentaires, trop-perçu d'assurance-emploi ou de sécurité du revenu, amendes, etc.))

TOTAL

Sommaire
(Actif – Passif)

Section 2   État de l'actif et du passif de la mère

VALEUR

Actif

(Indiquer l'argent comptant, les sommes en dépôt dans des comptes de banque ou d'autres institutions financières et la valeur marchande des biens par catégories (sans tenir compte des dettes qui y sont rattachées) : immeubles, meubles, automobiles, oeuvres d'art, bijoux, actions, obligations, intérêts dans une entreprise, autres placements, régimes de retraite, régimes d'épargne-retraite, créances, etc.)

TOTAL

VALEUR

Passif

(Indiquer les dettes ou engagements financiers de toute nature contractés sous forme de prêt ou d'ouverture de crédit (prêt hypothécaire, prêt personnel, marge de crédit, cartes de crédit, ventes à tempérament, cautionnements, etc.) ou que vous devez payer en application d'une loi (dettes fiscales, cotisations, redevances et autres droits impayés, etc.) ou d'une décision d'un tribunal (dommages-intérêts, pensions alimentaires, trop-perçu d'assurance-emploi ou de sécurité du revenu, amendes, etc.))

_____   _____

_____   _____

_____   _____

_____   _____

_____   _____

_____   _____

_____   _____

TOTAL   ═══════════════

Sommaire
(Actif – Passif)   ═══════════════

PARTIE 9 - DÉCLARATION SOUS SERMENT

Je déclare que les renseignements donnés ci-dessus sont exacts et complets, en ce qui me concerne, et je signe :

à :

le   e jour de

_____
Signature du père

Déclaration faite sous serment devant moi

à :

le   e jour de

_____
Signature de la personne habilitée à recevoir le serment

Je déclare que les renseignements donnés ci-dessus sont exacts et complets, en ce qui me concerne, et je signe :

à :

le   e jour de

_____
Signature de la mère

Déclaration faite sous serment devant moi

à :

le   e jour de

_____
Signature de la personne habilitée à recevoir le serment

TABLEAU DE FIXATION DE LA CONTRIBUTION ALIMENTAIRE PARENTALE DE BASE

Revenu disponible des parents ($)	Contribution alimentaire annuelle de base[1] Nombre d'enfants					
	1 enfant	2 enfants	3 enfants	4 enfants	5 enfants	6 enfants[2]
1 - 1 000	500	500	500	500	500	500
1 001 - 2 000	1 000	1 000	1 000	1 000	1 000	1 000
2 001 - 3 000	1 500	1 500	1 500	1 500	1 500	1 500
3 001 - 4 000	1 850	2 000	2 000	2 000	2 000	2 000
4 001 - 5 000	1 900	2 500	2 500	2 500	2 500	2 500
5 001 - 6 000	1 960	2 900	3 000	3 000	3 000	3 000
6 001 - 7 000	2 050	3 220	3 500	3 500	3 500	3 500
7 001 - 8 000	2 130	3 340	3 900	4 000	4 000	4 000
8 001 - 9 000	2 210	3 450	4 050	4 500	4 500	4 500
9 001 - 10 000	2 280	3 570	4 200	4 830	5 000	5 000
10 001 - 12 000	2 410	3 740	4 430	5 120	5 810	6 000
12 001 - 14 000	2 570	3 990	4 750	5 510	6 270	7 000
14 001 - 16 000	2 740	4 240	5 070	5 900	6 730	7 560
16 001 - 18 000	2 910	4 500	5 410	6 320	7 230	8 140
18 001 - 20 000	3 090	4 760	5 750	6 740	7 730	8 720
20 001 - 22 000	3 270	5 020	6 090	7 160	8 230	9 300
22 001 - 24 000	3 440	5 290	6 440	7 590	8 740	9 890
24 001 - 26 000	3 620	5 550	6 780	8 010	9 240	10 470
26 001 - 28 000	3 810	5 810	7 150	8 490	9 830	11 170
28 001 - 30 000	4 000	6 080	7 520	8 960	10 400	11 840
30 001 - 32 000	4 190	6 350	7 890	9 430	10 970	12 510
32 001 - 34 000	4 380	6 610	8 260	9 910	11 560	13 210
34 001 - 36 000	4 570	6 880	8 630	10 380	12 130	13 880
36 001 - 38 000	4 750	7 130	8 930	10 730	12 530	14 330
38 001 - 40 000	4 930	7 380	9 230	11 080	12 930	14 780
40 001 - 42 000	5 120	7 620	9 530	11 440	13 350	15 260
42 001 - 44 000	5 300	7 870	9 820	11 770	13 720	15 670
44 001 - 46 000	5 480	8 110	10 120	12 130	14 140	16 150
46 001 - 48 000	5 640	8 340	10 420	12 500	14 580	16 660
48 001 - 50 000	5 810	8 560	10 710	12 860	15 010	17 160
50 001 - 52 000	5 980	8 780	11 010	13 240	15 470	17 700
52 001 - 54 000	6 140	9 010	11 300	13 590	15 880	18 170
54 001 - 56 000	6 310	9 230	11 600	13 970	16 340	18 710
56 001 - 58 000	6 460	9 430	11 860	14 290	16 720	19 150
58 001 - 60 000	6 610	¨9 630	12 130	14 630	17 130	19 630
60 001 - 62 000	6 760	9 830	12 390	14 950	17 510	20 070
62 001 - 64 000	6 910	10 030	12 660	15 290	17 920	20 550
64 001 - 66 000	7 050	10 230	12 920	15 610	18 300	20 990
66 001 - 68 000	7 090	10 400	13 160	15 920	18 680	21 440
68 001 - 70 000	7 310	10 570	13 410	16 250	19 090	21 930

Revenu disponible des parents ($)	Contribution alimentaire annuelle de base[1] Nombre d'enfants					
	1 enfant	2 enfants	3 enfants	4 enfants	5 enfants	6 enfants[2]
70 001 - 72 000	7 440	10 750	13 650	16 550	19 450	22 350
72 001 - 74 000	7 570	10 920	13 890	16 860	19 830	22 800
74 001 - 76 000	7 700	11 090	14 140	17 190	20 240	23 290
76 001 - 78 000	7 810	11 240	14 330	17 420	20 510	23 600
78 001 - 80 000	7 920	11 380	14 530	17 680	20 830	23 980
80 001 - 82 000	8 030	11 520	14 720	17 920	21 120	24 320
82 001 - 84 000	8 140	11 670	14 920	18 170	21 420	24 670
84 001 - 86 000	8 250	11 810	15 110	18 410	21 710	25 010
86 001 - 88 000	8 340	11 920	15 270	18 620	21 970	25 320
88 001 - 90 000	8 420	12 040	15 420	18 800	22 180	25 560
90 001 - 92 000	8 510	12 150	15 580	19 010	22 440	25 870
92 001 - 94 000	8 600	12 270	15 730	19 190	22 650	26 110
94 001 - 96 000	8 690	12 380	15 890	19 400	22 910	26 420
96 001 - 98 000	8 760	12 470	16 020	19 570	23 120	26 670
98 001 - 100 000	8 830	12 560	16 140	19 720	23 300	26 880
100 001 - 102 000	8 900	12 650	16 270	19 880	23 500	27 110
102 001 - 104 000	8 970	12 740	16 400	20 040	23 700	27 340
104 001 - 106 000	9 040	12 830	16 530	20 200	23 900	27 570
106 001 - 108 000	9 110	12 920	16 660	20 360	24 100	27 800
108 001 - 110 000	9 180	13 010	16 790	20 520	24 300	28 030
110 001 - 112 000	9 250	13 100	16 920	20 680	24 500	28 260
112 001 - 114 000	9 320	13 190	17 050	20 840	24 700	28 490
114 001 - 116 000	9 390	13 280	17 180	21 000	24 900	28 720
116 001 - 118 000	9 460	13 370	17 310	21 160	25 100	28 950
118 001 - 120 000	9 530	13 460	17 440	21 320	25 300	29 180
120 001 - 122 000	9 600	13 550	17 570	21 480	25 500	29 410
122 001 - 124 000	9 670	13 640	17 700	21 640	25 700	29 640
124 001 - 126 000	9 740	13 730	17 830	21 800	25 900	29 870
126 001 - 128 000	9 810	13 820	17 960	21 960	26 100	30 100
128 001 - 130 000	9 880	13 910	18 090	22 120	26 300	30 330
130 001 - 132 000	9 950	14 000	18 220	22 280	26 500	30 560
132 001 - 134 000	10 020	14 090	18 350	22 440	26 700	30 790
134 001 - 136 000	10 090	14 180	18 480	22 600	26 900	31 020
136 001 - 138 000	10 160	14 270	18 610	22 760	27 100	31 250
138 001 - 140 000	10 230	14 360	18 740	22 920	27 300	31 480
140 001 - 142 000	10 300	14 450	18 870	23 080	27 500	31 710
142 001 - 144 000	10 370	14 540	19 000	23 240	27 700	31 940
144 001 - 146 000	10 440	14 630	19 130	23 400	27 900	32 170
146 001 - 148 000	10 510	14 720	19 260	23 560	28 100	32 400
148 001 - 150 000	10 580	14 810	19 390	23 720	28 300	32 630
150 001 - 152 000	10 650	14 900	19 520	23 880	28 500	32 860
152 001 - 154 000	10 720	14 990	19 650	24 040	28 700	33 090
154 001 - 156 000	10 790	15 080	19 780	24 200	28 900	33 320
156 001 - 158 000	10 860	15 170	19 910	24 360	29 100	33 550
158 001 - 160 000	10 930	15 260	20 040	24 520	29 300	33 780

Revenu disponible des parents ($)	Contribution alimentaire annuelle de base[1] Nombre d'enfants					
	1 enfant	2 enfants	3 enfants	4 enfants	5 enfants	6 enfants[2]
160 001 - 162 000	11 000	15 350	20 170	24 680	29 500	34 010
162 001 - 164 000	11 070	15 440	20 300	24 840	29 700	34 240
164 001 - 166 000	11 140	15 530	20 430	25 000	29 900	34 470
166 001 - 168 000	11 210	15 620	20 560	25 160	30 100	34 700
168 001 - 170 000	11 280	15 710	20 690	25 320	30 300	34 930
170 001 - 172 000	11 350	15 800	20 820	25 480	30 500	35 160
172 001 - 174 000	11 420	15 890	20 950	25 640	30 700	35 390
174 001 - 176 000	11 490	15 980	21 080	25 800	30 900	35 620
176 001 - 178 000	11 560	16 070	21 210	25 960	31 100	35 850
178 001 - 180 000	11 630	16 160	21 340	26 120	31 300	36 080
180 001 - 182 000	11 700	16 250	21 470	26 280	31 500	36 310
182 001 - 184 000	11 770	16 340	21 600	26 440	31 700	36 540
184 001 - 186 000	11 840	16 430	21 730	26 600	31 900	36 770
186 001 - 188 000	11 910	16 520	21 860	26 760	32 100	37 000
188 001 - 190 000	11 980	16 610	21 990	26 920	32 300	37 230
190 001 - 192 000	12 050	16 700	22 120	27 080	32 500	37 460
192 001 - 194 000	12 120	16 790	22 250	27 240	32 700	37 690
194 001 - 196 000	12 190	16 880	22 380	27 400	32 900	37 920
196 001 - 198 000	12 260	16 970	22 510	27 560	33 100	38 150
198 001 - 200 000	12 330	17 060	22 640	27 720	33 300	38 380
Revenu disponible supérieur à 200 000 $[3]	12 330 plus 3,5% de l'excédent	17 060 plus 4,5% de l'excédent	22 640 plus 6,5% de l'excédent	27 720 plus 8,0% de l'excédent	33 300 plus 10,0% de l'excédent	38 380 plus 11,5% de l'excédent

(1) Les montants de contribution alimentaire de base sont indexés de plein droit au 1ᵉʳ janvier de chaque année, suivant l'indice des rentes (a. 12).

(2) Pour les familles de 7 enfants et plus, multiplier l'écart entre 5 et 6 enfants par le nombre d'enfants supplémentaires et ajouter le produit à la contribution alimentaire annuelle de base pour 6 enfants (a. 11).

(3) Pour la portion du revenu supérieur à 200 000 $, le pourcentage indiqué n'y est donné qu'à titre indicatif (a. 10).

10. LES PENSIONS ALIMENTAIRES POUR LES CONJOINTS ET L'IMPÔT

Johanne Roby, avocate et médiatrice

Quel rôle joue l'impôt par rapport à la pension alimentaire?

Il est très important de tenir compte de l'impôt lorsqu'un montant de pension alimentaire doit être fixé. En effet, il faut comprendre que lorsqu'une pension alimentaire est déductible pour la personne qui la paie, elle est imposable pour la personne qui la reçoit.

Qu'est-ce qui fait qu'une pension alimentaire est imposable?

Une pension alimentaire est imposable lorsqu'elle satisfait à certains critères, que voici :

— la personne doit, de fait, vivre séparée de son conjoint au moment du paiement et durant le reste de l'année;

— la pension alimentaire doit être versée en vertu d'un arrêt, d'une ordonnance ou d'un jugement rendu par un tribunal ou encore d'un accord écrit de séparation;

— la pension alimentaire doit être payée périodiquement;

— elle doit être versée à votre nom;

— les paiements doivent être versés pour votre entretien.

Existe-t-il des catégories de paiements qui peuvent être déductibles?

Oui, nous parlons alors de paiements faits à des fins précises.

Quels sont les paiements faits à des fins précises?

Les paiements faits à des fins précises sont les suivants :

— les paiements hypothécaires;

— les taxes foncières, les services publics (ex. : électricité), les frais de copropriété, l'assurance habitation;

— les primes de polices d'assurance pour soins médicaux et dentaires;

— les loyers.

À signaler.   Les paiements faits à des fins précises par votre ex-conjoint pourront être déductibles pour lui et imposables pour vous s'ils satisfont à certains critères, soit :

— que ces paiements soient mentionnés en vertu d'un arrêt, d'une ordonnance ou d'un jugement rendu par un tribunal ou encore d'un accord écrit de séparation;

— que votre accord précise que de tels paiements seront inclus dans votre revenu et seront déductibles par la personne qui les paie;

— que le créancier (la personne qui reçoit les paiements) puisse en disposer de la manière qu'il veut pour son profit, et ce, sans aucune restriction.

Attention!   Si de tels paiements ne sont pas mentionnés dans votre accord, il est vrai que celui qui paie, par exemple l'hypothèque, ne pourra le déduire de son impôt, mais celui qui vit dans la maison, devra le mentionner dans son rapport d'impôt et sera imposé là-dessus.

11. LA RÉSIDENCE FAMILIALE

Lyne Morin, avocate et médiatrice

Qu'est-ce que la résidence familiale?

On définit la résidence familiale comme l'endroit où les membres de la famille exercent leurs principales activités.

Qu'est-ce que la protection de la résidence familiale?

Cette protection, que nous appelons la « déclaration de résidence familiale » est différente selon que votre conjoint est propriétaire ou locataire.

Il est à noter que la protection de la résidence familiale, c'est-à-dire la déclaration de résidence familiale ne s'applique pas si vous êtes copropriétaire de la résidence familiale avec votre conjoint ou si vous êtes tous les deux signataires du bail de la résidence de la famille. Car, dans chacun de ces deux cas, le consentement écrit de l'autre est obligatoire pour toutes transactions sur ladite résidence.

Si votre conjoint est unique propriétaire, la déclaration de résidence familiale a pour but de l'empêcher de vendre la maison, de l'hypothéquer ou de la louer sans votre consentement écrit. C'est une protection limitée qui ne vous donne aucun droit de propriété ou d'usage de la maison.

Si votre conjoint est locataire, la déclaration de résidence familiale a pour but de l'empêcher de sous-louer le logement, de céder le bail ou d'y mettre fin sans votre consentement écrit.

Ainsi, avec cette protection, si votre conjoint agit sans votre consentement écrit, vous pourrez demander, dans certains cas, l'annulation de l'acte et/ou des dommages et intérêts.

Comment devez-vous procéder pour obtenir cette protection ?

Propriétaire

Si votre conjoint est unique propriétaire de la résidence familiale, vous devez remplir une déclaration de résidence familiale. Un formulaire est disponible à cette fin au bureau de la publicité des droits (anciennement désigné bureau d'enregistrement) du district où se trouve la maison[1].

Vous devez y inscrire la désignation cadastrale de l'immeuble et signer la déclaration de résidence familiale en présence de deux témoins. Des frais d'inscription sont exigés. La déclaration de résidence familiale peut également être faite et enregistrée par un notaire ou un avocat. Votre conjoint ne sera pas avisé de cette démarche et vous n'avez pas à le lui dire.

Vous pouvez également inscrire une déclaration de résidence familiale au moment de l'achat de votre maison ou du renouvellement d'hypothèque.

Locataire

L'inscription de l'avis de résidence familiale de votre logement peut se faire dès la signature de votre bail. En effet, le bail, qui s'obtient à la Régie du logement, contient un espace déterminé pour aviser le locateur que vous êtes mariés et que votre logement sert de résidence familiale.

À défaut d'avoir fait cette inscription à la signature du bail, vous pouvez aviser votre locateur par écrit que vous êtes mariés et que votre logement sert de résidence familiale. Il est préférable d'envoyer cet avis par courrier recommandé afin d'en conserver une preuve.

---

1. Ce bureau est généralement situé au Palais de justice ou à l'hôtel de ville. Vous pouvez consulter les pages bleues de l'annuaire téléphonique dans « Gouvernement du Québec », sous la rubrique « Justice » pour trouver l'adresse exacte.

Quand la déclaration de résidence familiale cesse-t-elle d'avoir effet?

— Lorsque l'un des époux décède et que sa succession a été réglée.

— Lorsque l'immeuble a été vendu ou donné avec le consentement des deux époux ou avec l'autorisation de la cour.

— Lorsque l'immeuble a cessé de servir de résidence familiale avec le consentement des deux époux.

— Lorsque les époux sont séparés de corps ou divorcés.

— Lorsque la nullité du mariage a été prononcée.

Existe-t-il une protection connexe à la déclaration de résidence familiale?

Oui, il s'agit de l'avis d'adresse. L'avis d'adresse est une mesure de protection additionnelle que vous devez inscrire en même temps que la déclaration de résidence familiale.

Avec l'inscription de l'avis d'adresse sur la résidence familiale, le conjoint non propriétaire sera avisé de toute procédure judiciaire, de toute saisie ou de tout défaut de paiement concernant cette résidence.

Ainsi, si le conjoint propriétaire fait défaut de payer ses taxes et qu'il y a un avis de vente pour défaut de paiement de taxes, l'officier de la publicité des droits sera alors tenu de le faire savoir à l'autre conjoint. Il n'y a pas de frais d'inscription pour l'avis d'adresse.

Lorsque survient une rupture, pouvez-vous continuer d'habiter le logement dont votre conjoint était locataire?

Si vous habitez un logement dont le bail est au nom de votre époux et que celui-ci quitte le logement, au moment de la cessation de la vie commune vous pouvez y demeurer si vous continuez à l'occuper et que vous en avisez le propriétaire dans les deux mois de la rupture. Vous devenez alors locataire du logement et devez en assumer toutes les obligations.

Attention! Cette mesure s'applique également aux conjoints de fait s'ils ont cohabité pendant au moins six mois avant la rupture.

Les meubles servant à l'usage de la famille sont-ils protégés?

Oui. Les meubles servant à l'usage de la famille sont ceux qui garnissent ou qui ornent la résidence familiale. Ils comprennent les tableaux et les œuvres d'art, mais non les collections. De même, les meubles utilisés exclusivement pour l'activité professionnelle d'un des conjoints n'entrent pas dans cette définition.

Ainsi, votre conjoint ne peut vendre, donner, hypothéquer ou transporter hors de la maison des meubles servant à l'usage de la famille sans votre consentement. Il n'est pas nécessaire d'obtenir un consentement écrit, un consentement verbal suffit. Si votre époux passe outre à votre consentement et accomplit un de ces actes, dans certains cas vous pourrez demander l'annulation et/ou des dommages et intérêts.

Cette protection est automatique et découle du mariage. Vous n'avez aucune procédure à prendre pour lui donner effet. Il est à noter qu'elle ne s'applique pas aux conjoints de fait.

Au stade des mesures provisoires, quelles décisions peuvent être prises au sujet de la résidence familiale et des meubles affectés à l'usage commun de la famille?

Résidence familiale

Dans le cadre d'une séparation de corps comme d'un divorce, le juge peut ordonner à l'un des époux de quitter la résidence familiale pendant la durée de l'instance. L'autre conjoint se voit attribuer le droit d'habiter la résidence familiale pendant l'instance. C'est ce qu'on appelle un droit d'usage.

Meubles

En matière de meubles, dans le cadre d'une séparation de corps comme d'un divorce, le juge peut autoriser l'un des époux à conserver provisoirement durant l'instance des biens meubles affectés à l'usage commun de la famille. Cette autorisation permettra à cet époux de les garder au lieu de son choix et de les apporter à l'extérieur de la résidence familiale, si nécessaire. Cependant, si cette autorisation est possible pour des meubles affectés à l'usage commun, il faut comprendre qu'elle n'est pas nécessaire pour des biens qui ne le sont pas et qui n'appartiennent pas à l'autre conjoint. Chaque époux peut donc conserver pendant l'instance, sans autorisation préalable, ses effets personnels et tous ses biens non affectés à l'usage commun.

Au stade des mesures accessoires, quelles décisions peuvent être prises au sujet de la résidence familiale ?

Propriétaire

Dans le cadre d'une séparation de corps ou d'un divorce, le tribunal peut attribuer un droit d'usage ou de propriété de l'immeuble à l'époux non propriétaire. Le jugement final de divorce ou de séparation de corps peut annuler l'inscription de la déclaration de la résidence familiale.

Locataire

Lorsqu'un seul des époux est signataire du bail de la résidence familiale, le juge pourra attribuer à l'autre époux, au moment de la séparation de corps ou du divorce, le bail du logement. Cette décision du tribunal libère pour l'avenir le locataire originaire des droits et obligations résultant du bail. Le conjoint qui a obtenu l'attribution du bail est donc le seul responsable du paiement du loyer.

Quelles décisions peuvent être prises au sujet des meubles affectés à l'usage de la famille au stade des mesures accessoires ?

Qu'il s'agisse d'une séparation de corps ou d'un divorce, le juge peut attribuer l'usage ou la propriété des meubles servant à l'usage de la famille à l'un ou l'autre des époux, peu importe qui en est propriétaire. Il ne peut toutefois qu'attribuer les meubles affectés à l'usage du ménage et qui garnissent ou ornent la résidence familiale. Les biens personnels reviennent à leur propriétaire. De plus, le juge peut en accorder l'usage pour le temps qu'il fixe.

Le tribunal attribue souvent l'usage ou la propriété des meubles au conjoint qui a la garde des enfants ou qui a peu de moyens de s'en procurer d'autres.

12. LE PATRIMOINE FAMILIAL

Johanne Roby, avocate et médiatrice

Le patrimoine familial ne s'applique *jamais* aux conjoints de fait, peu importe la durée de la vie commune ou le fait qu'ils aient ou non des enfants.

Qu'est-ce que le patrimoine familial ?

Le patrimoine familial est composé d'un ensemble de biens dont la valeur, au moment d'un décès, de la séparation de corps, du divorce ou de l'annulation du mariage, est divisée en parts égales entre les époux, sans égard à l'époux propriétaire de ces biens.

Qui est concerné par le patrimoine familial ?

Tous les couples mariés, qu'ils le soient depuis 50 ans ou depuis un mois. Le seul critère est le mariage.

Cette loi s'applique à tous les couples mariés, peu importe leur régime matrimonial.

Qui peut se soustraire au partage du patrimoine familial ?

Les seules personnes pouvant se soustraire au partage du patrimoine familial sont :

— les couples qui ont signé une renonciation totale ou partielle devant notaire avant le 31 décembre 1990;

— les couples qui, conjointement, y renoncent en tout ou en partie au moment de la séparation de corps, du divorce ou de l'annulation du mariage;

— le conjoint qui renonce à sa part, en tout ou en partie, au moment de la séparation de corps, du divorce, de l'annulation du mariage ou du décès de son époux.

Quels sont les biens inclus dans le patrimoine familial ?

1) Les résidences de la famille ou les droits qui confèrent l'usage de ces résidences. Ces droits peuvent être, par exemple, des actions d'une compagnie propriétaire de la résidence familiale.

2) Les meubles affectés à l'usage du ménage qui garnissent ou ornent les résidences.

3) Les véhicules automobiles utilisés pour les déplacements de la famille (travail, loisirs, vacances).

4) Les droits accumulés durant le mariage pour un régime de retraite, comprenant les régimes privés de retraite, le régime des rentes du Québec, les régimes enregistrés d'épargne-retraite (R.E.E.R.) et la plupart des autres formules d'épargne-retraite.

Quels sont les biens exclus du patrimoine familial ?

Tous les biens qui ne sont pas expressément inclus dans le patrimoine familial en sont exclus. Il s'agit notamment des biens ci-après énumérés.

1) Les biens appartenant à l'un ou l'autre des époux mais n'étant pas nommés dans la liste ci-dessus (ex. : obligations, actions, argent, etc.).

> Line et Roger sont mariés. Line possède des obligations d'épargne. Celles-ci n'étant pas incluses dans le patrimoine familial, Line en conservera l'entière propriété, advenant la rupture du mariage, et n'aura pas à en partager la valeur avec Roger ou la succession de ce dernier, le cas échéant.

2) Les biens ou sommes d'argent reçus par l'un des conjoints avant ou pendant le mariage par donation, legs ou succession.

3) Les biens acquis et entièrement payés avant le mariage.

4) Le produit de la vente d'un bien acquis avant le mariage et utilisé pour acheter ou améliorer un bien du patrimoine.

5) Les sommes d'argent payées par l'un des conjoints avant le mariage sur un bien du patrimoine ainsi que la plus-value qui leur est attribuable.

Comment s'effectue le partage du patrimoine familial ?

La valeur nette du patrimoine familial est divisée en parts égales entre les conjoints ou entre l'époux survivant et les héritiers, selon le cas.

Le partage ne se fait pas nécessairement en argent. L'un des conjoints peut transférer certains biens à son époux pour lui donner sa part.

Évidemment, si les époux ne s'entendent pas quant au partage du patrimoine, le tribunal en décidera pour eux.

— *La valeur nette*

Pour établir la valeur nette du patrimoine familial, on se base sur la valeur marchande des biens au jour du décès, à la date d'introduction de la demande en divorce, en séparation de corps ou en annulation de mariage ou à la date de cessation de la vie commune, en soustrayant les dettes contractées pour l'acquisition, l'amélioration, l'entretien ou la conservation de ces biens.

De même, les sommes payées par l'un des conjoints avant le mariage sur un bien faisant partie du patrimoine familial seront déduites de la valeur nette du bien. La plus-value attribuable à ces sommes pendant le mariage sera aussi soustraite de la valeur nette du bien. Enfin, si le bien faisant partie du patrimoine familial a été acquis en tout ou en partie avec de l'argent obtenu par don ou héritage, on devra retrancher la somme investie de même que la plus-value attribuable à cette somme.

Georges se marie avec Louise en 1979 et possède une maison qui servira de résidence familiale pour sa famille. Au moment du mariage, la maison est évaluée à 100 000 $. Georges a déjà payé 30 000 $ pour l'acquisition, et l'immeuble est alors grevé d'une hypothèque de 70 000 $. En 1991, Georges divorce, la maison vaut alors 150 000 $ et est toujours grevée d'une hypothèque de 50 000 $. Le partage se fera comme suit :

1) Valeur marchande de la maison en 1979 :   100 000 $

2) Sommes payées par Georges jusqu'en 1979, date du mariage :   30 000 $

3) Valeur marchande de la maison en 1991,
    au moment du divorce :   150 000 $

4) Hypothèque restante en 1991 :   50 000 $

5) Pour trouver la valeur nette de la maison en 1991, on sous-
    trait l'hypothèque restante de la valeur marchande de la mai-
    son en 1991 :

    150 000 $ − 50 000 $ = 100 000 $

6) Ensuite, de la valeur nette de la maison, on déduit les sommes
    payées par Georges :

    100 0000 $ − 30 000 $ = 70 000 $

7) Pour obtenir la plus-value de la maison, on soustrait sa valeur
    marchande en 1979 de sa valeur marchande en 1991 :

    150 000 $ − 100 000 $ = 50 000 $

8) De cette plus-value de 50 000, on enlève la plus-value attri-
    buable au montant payé par Georges avant son mariage, dans
    la proportion suivante :

    Argent versé par Georges avant le mariage : 30 000 $ = 30 % de
    la valeur marchande de la maison jusqu'au mariage (100 000 $)

    30 % de 50 000 $ (plus-value) : 15 000 $

9) Georges recevra donc, avant le partage, les montants suivants :

    30 000 $ (payés avant le mariage); et
    15 000 $ (plus-value proportionnelle).

    Pour le partage, on comptabilisera le tout comme suit :
      150 000 $: valeur marchande en 1991
    − 50 000 $: hypothèque en 1991
      100 000 $: valeur nette
    − 30 000 $: somme payée par Georges avant le mariage
      70 000 $: reste de la valeur nette
    − 15 000 $: plus-value proportionnelle sur la somme payée
                     par Georges avant le mariage
      55 000 $: somme partageable entre les deux conjoints

La part de Louise est de 27 500 $ (55 000 $/2).

La part de Georges est de 72 500 $ (27 500 $ + 30 000 $ + 15 000 $).

Si l'argent investi pendant le mariage par un des conjoints provient d'un don ou d'un héritage, on procède au même calcul que ci-dessus.

13. LA PRESTATION COMPENSATOIRE

Annie Dupuis, avocate et médiatrice

Qu'est-ce que la prestation compensatoire ?

La prestation compensatoire est un mécanisme destiné à compenser l'apport de l'un ou l'autre des époux en biens ou en services au patrimoine de son conjoint.

La prestation compensatoire est-elle uniquement accordée aux gens mariés ?

Oui. Les gens vivant en union de fait ne peuvent obtenir de prestation compensatoire. Certains autres recours leur sont offerts (voir la section *L'union libre*).

À quel moment peut-on demander une prestation compensatoire ?

Au moment de l'instance en séparation de corps, en divorce ou en annulation de mariage. Il est également possible d'obtenir la prestation compensatoire au décès du conjoint.

L'on peut aussi demander une prestation compensatoire pendant le mariage lorsque ce droit est fondé sur la collaboration régulière à une entreprise. À ce moment, la demande peut être faite dès la fin de la collaboration, lorsque celle-ci est causée par la vente, la dissolution ou la liquidation volontaire ou forcée de l'entreprise. Le paiement se fait alors pendant le mariage.

Quels sont les critères requis pour réclamer une prestation compensatoire ?

Il doit y avoir :

— un APPORT. Cela signifie avoir apporté quelque chose, que ce soit en biens, en services ou en argent.

— un ENRICHISSEMENT DE L'AUTRE CONJOINT, soit de celui à qui l'apport a été fait. La loi édicte que l'enrichissement doit encore subsister au moment où la demande de prestation compensatoire est faite.

— un LIEN ENTRE L'APPORT ET L'ENRICHISSEMENT DU CONJOINT. Ce lien doit être direct. La démonstration du lien n'est pas nécessairement mathématique.

Le tribunal a une discrétion pour accorder le paiement d'une prestation compensatoire, même s'il est difficile d'évaluer mathématiquement l'apport de l'un des époux dans le patrimoine de l'autre[1].

Comment se fixe la valeur de la prestation compensatoire ?

Si les deux époux ne s'entendent pas sur la valeur de la prestation, le tribunal tranchera cette question. Évidemment, le tribunal aura à quantifier cette prestation selon les critères retenus et la preuve faite de chacun des critères. Le tribunal considère également le régime matrimonial et le contrat de mariage s'il y en a un.

EXEMPLES D'APPORT

En argent : Jeanne investit 20 000 $ dans l'entreprise de Pierre. Son apport est de 20 000 $.

En biens : Le véhicule automobile de Jeanne n'est maintenant utilisé que pour les besoins de l'entreprise.

En services : Jeanne travaille 40 heures par semaine pour Pierre, sans rémunération, en plus de faire l'entretien ménager de l'entreprise.

Le travail domestique peut-il m'apporter une prestation compensatoire ?

Le travail domestique peut apporter une prestation compensatoire dans certains cas. Cependant, c'est exceptionnel. Il faut toutefois que ce travail soit beaucoup plus grand que celui auquel l'on s'attend dans une vie de couple ou de famille.

---

1. *Droit de la famille — 1327*, (1990) R.D.F. 347 (C.S.).
   Droit de la famille — 1534, (1992) R.D.F. 153 (C.A.).

En effet, lorsque la charge de travail domestique est « normale » pour la vie de la famille ou qu'elle a été partagée par le conjoint, les tribunaux n'accordent pas de prestation compensatoire puisque c'est une contribution normale aux charges du ménage.

Par exemple un homme marié en séparation de biens a pu réclamer une prestation compensatoire parce qu'il a pu démontrer que le patrimoine de l'épouse s'est enrichi au détriment du sien. Les conditions requises pour la prestation compensatoire ont alors été remplies[2].

La partie qui demande la prestation compensatoire doit établir[3] :

1)   l'apport;

2)   l'enrichissement du patrimoine du conjoint;

3)   un lien de causalité.

> Pierre et Jeanne sont mariés en séparation de biens et exploitent une entreprise de commerce au détail. Le commerce est la propriété de Pierre. Au moment du divorce, Pierre demeure totalement propriétaire du commerce. À ce moment, Jeanne demande une prestation compensatoire de 20 000 $. Elle invoque un APPORT, soit toutes les années où elle a travaillé au commerce, l'ENRICHISSEMENT DE SON CONJOINT par le temps et l'énergie qu'elle a mis dans le commerce et un LIEN entre les deux qui est on ne peut plus direct.

Puis-je demander une prestation compensatoire même si j'ai une pension alimentaire ?

Oui. Le but visé par la prestation compensatoire n'est pas le même que pour la pension alimentaire. Celui de la pension alimentaire est de combler les besoins essentiels de la vie courante. Alors que la prestation compensatoire vise le rééquilibre des patrimoines en fonction de l'apport de l'un des conjoints.

---

2. *S(R)* c. *B(R)*, CS MR 500-12-199568-910 (6-07-94).
3. *Droit de la famille — 176*, (1990) R.D.F 660.

Comment puis-je prouver les critères nécessaires à la fixation de la prestation compensatoire?

Tous les moyens de preuve sont bons, que ce soit le témoignage, l'aveu, des écrits.

Des raisons exceptionnelles régissent l'attribution d'une prestation compensatoire basée sur le travail domestique. Manquement grave de contribution aux charges du ménage, injustice, etc., peuvent faire appui à une demande de partage inégal[4].

Comment s'effectuera le paiement de la prestation compensatoire?

Le tribunal, en cas de désaccord des parties, fixera les modalités de paiement de la prestation compensatoire. Il peut décider que le paiement se fera:

— en un seul versement;

— par versements mensuels ou annuels;

— par l'attribution de certains droits sur des biens.

Jeanne et Pierre divorcent. Jeanne, après avoir travaillé plusieurs années dans le commerce de Pierre, demande une prestation compensatoire de 20 000 $. Pierre est propriétaire de la résidence de la famille. Le juge décide d'attribuer la propriété des meubles à Jeanne, en guise de prestation compensatoire.

Le juge décide d'attribuer à Jeanne la propriété de la résidence familiale puisqu'elle en était copropriétaire et qu'elle a droit à une prestation compensatoire équivalant à la part de Pierre.

Exemple d'un cas de jurisprudence:

La demande de propriété exclusive de la résidence familiale et des meubles meublants à titre de prestation compensatoire est accordée à l'épouse. Cela en raison de son apport exceptionnel et de la preuve que c'est grâce à elle que le couple s'est procuré maintes choses[5].

---

4. *G(H)* c. *B(AM)*, C.S.Q., 200-12-043511-907 (21-05-93).
5. *Droit de la famille — 994*, (1191) R.J.Q. 1427.

Comment demander une prestation compensatoire au décès de mon conjoint ?

Il faut en faire la demande auprès de la succession, soit aux héritiers de votre conjoint. S'il y a désaccord sur la demande de prestation compensatoire, il faut alors s'adresser au tribunal.

Attention! Vous avez un an à compter du décès de votre conjoint pour faire la demande de prestation compensatoire.

14. LES RÉGIMES MATRIMONIAUX

Johanne Roby, avocate et médiatrice

Le régime matrimonial est le vaisseau central qui régit le côté financier des biens des époux.

Tous les couples qui se marient, que ce soit civilement ou religieusement, sont régis par leur régime matrimonial tout au long de leur mariage. Le patrimoine familial s'applique seulement au moment de la séparation de corps, du divorce, de l'annulation du mariage ou du décès (voir la section *Le patrimoine familial*). Ainsi, il est très important de connaître les particularités de chaque régime matrimonial, et ce, afin de choisir celui qui convient le mieux à notre situation financière et à nos choix de vie.

Il existe trois régimes matrimoniaux : le régime légal de la société d'acquêts, la séparation de biens et l'ancien régime de la communauté de biens. Il est bon de savoir également qu'un couple peut créer son propre régime, par exemple qu'une partie des biens constituera des acquêts et que le reste sera régi par les règles de la séparation de biens. Tout cela est possible pourvu que les règles du *Code civil du Québec* soient respectées.

Qu'est-ce que le régime de la société d'acquêts ?

Le régime de la société d'acquêts s'applique aux couples qui se sont mariés sans avoir passé de contrat de mariage. Les autres régimes feront obligatoirement l'objet d'un contrat passé devant notaire pour y être soumis.

Qu'est-ce qui compose la société d'acquêts ?

Les biens que l'on trouve dans ce régime se divisent en deux catégories, soit les biens propres et les acquêts.

Qu'entend-on par biens propres ?

Les biens propres ont la propriété de ne pas être partageables, ils ne pourront jamais entrer dans le partage à la fin du régime.

Qu'est-ce qui compose les biens propres ?

— Les biens possédés avant le mariage.

— Les biens reçus pendant le mariage par succession, legs ou donation et les fruits et revenus qui en découlent si le testateur ou le donateur en a fait mention.

— Les biens acquis pendant le mariage en remplacement des biens propres, de même que les indemnités d'assurances qui s'y rattachent.

— Les droits et avantages dont chacun bénéficie à titre de propriétaire subsidiaire ou de bénéficiaire d'un contrat ou d'une assurance de personnes.

— Les vêtements, papiers personnels, alliances, instruments de travail et diplômes.

— Les droits à une pension alimentaire, d'invalidité ou à une pension de même nature.

Les conjoints ont un droit d'administration total et exclusif à l'égard de ces biens. Chaque conjoint est alors responsable des dettes qu'il contracte, sauf celles contractées pour les besoins courants de la famille. À noter que la responsabilité est retenue pour l'époux séparé de fait (qui vit séparé sans l'être légalement) dans le cas où l'autre contracte des dettes pour les besoins de la famille.

Qu'entend-on par acquêts ?

Les acquêts sont les biens acquis par chaque époux pendant le mariage. Ces biens seront partagés à la fin du régime (séparation de corps, divorce ou s'il y a changement de régime).

Qu'est-ce qui compose les acquêts ?

— Les salaires.

— Les revenus de placements ou de travail ainsi que les biens obtenus avec cet argent.

De quelle façon fonctionne l'administration de ce régime ?

Chaque conjoint administre autant ses biens propres que ses acquêts. Tous les biens dont on ne pourra faire la preuve qu'ils sont propres seront automatiquement considérés comme des acquêts.

J'ai un bien propre et je le vends. Je prends cet argent pour acheter un autre bien. Ce bien me reste propre. Toutefois, la prudence est de rigueur. Il est important de mentionner sur la facture ou sur le contrat d'achat qu'il s'agit du remplacement d'un bien propre. De cette façon, la preuve qu'il s'agit d'un bien propre sera plus facile à faire en cas de dissolution du régime et il n'entrera pas dans la masse partageable des acquêts.

Imaginons qu'un conjoint désire donner une part de ses acquêts à un tiers, et ce, pendant la durée du mariage. Il devra pour ce faire demander le consentement de l'autre conjoint.

Toutefois, tout au long du mariage il est possible pour l'un des conjoints de donner une part de ses acquêts à l'autre. Dans ces circonstances, les acquêts reçus deviennent des biens propres, donc non partageables.

Le régime de la société d'acquêts se dissout à quel moment ?

— Au décès de l'un des époux.

— À l'absence d'un conjoint dans les situations prévues par la loi.

— Au changement conventionnel de régime pendant le mariage.

— Au moment du jugement en séparation de corps, de la séparation de biens ou du divorce.

— Ou par la nullité du mariage, s'il en résulte des effets.

Dans les trois premiers cas, la dissolution se produit immédiatement et dans les deux autres, elle est effective entre les conjoints au jour de la demande. Le tribunal a le pouvoir discrétionnaire de faire remonter les effets de la dissolution à la date où les époux ont cessé de faire vie commune.

L'époux qui décide de renoncer au partage des acquêts de son conjoint devra enregistrer, au registre des droits personnels et réels mobiliers, sa renonciation dans un délai d'un an à compter du jour de la dissolution, faute de quoi il sera réputé l'avoir accepté. Il peut le faire par acte notarié ou par déclaration judiciaire.

La renonciation ou l'acceptation du partage des acquêts est irrévocable. À moins que la renonciation n'ait été faite pour cause de lésion ou tout autre critère de nullité énoncé dans le *Code civil du Québec*, elle pourra alors être annulée.

Un conjoint se verra refuser le droit de partage des acquêts de l'autre s'il a diverti ou recelé des acquêts dans le but d'une fraude.

À partir du moment où il y a acceptation du partage des acquêts, il faut établir la composition des biens propres et des acquêts de chaque époux pour évaluer la masse partageable.

Finalement, le partage des acquêts ne se fait pas à partir de la valeur totale des acquêts, mais bien après en avoir soustrait les dettes. La valeur nette se partage en parts égales entre les époux. Le partage peut s'effectuer à partir d'une entente entre les parties. S'il y a désaccord, c'est le tribunal qui décide.

Attention!   Un époux ne peut jamais être obligé de payer un montant d'une dette supérieur à la part des acquêts qu'il a reçue.

Qu'est-ce que le régime de la séparation de biens?

Le régime de la séparation de biens découle obligatoirement d'un contrat de mariage passé devant notaire avant l'union.

De quelle façon fonctionne l'administration de ce régime?

Chaque époux a l'administration, la jouissance et l'entière propriété des biens qu'il a acquis, de même qu'il est responsable de ses dettes personnelles. Seules les dettes contractées pour les besoins courants de la famille sont à la charge du couple.

Comment s'effectue la répartition des biens à la dissolution?

Chaque conjoint garde ses biens s'il a réussi à prouver son droit exclusif de propriété. À défaut de cette preuve, le bien sera partagé en parts égales entre les époux.

Seront également pris en considération les donations prévues au contrat de mariage. À noter qu'en cas de séparation de corps ou de divorce, elles pourront être versées, réduites ou annulées par le tribunal.

Existe-t-il un moyen de se protéger ?

Pour tout achat d'un bien meuble, il est recommandé de faire inscrire les noms des deux conjoints sur toutes les factures. Pour l'acquisition d'un immeuble, mettre le nom des deux époux sur chaque acte de propriété ou acte d'achat passé devant notaire.

Vous optez ainsi pour la copropriété indivise, et le bien ne peut être vendu pendant le mariage sans votre consentement.

Attention! Les valeurs des biens compris dans le patrimoine familial seront partagées en parts égales (voir la section *Le patrimoine familial*), peu importe celui ou celle qui en est propriétaire, et ce, au moment d'une séparation de corps, d'un divorce, d'une annulation de mariage ou d'un décès. Pendant le mariage, c'est le régime matrimonial qui s'applique.

Qu'est-ce que le régime de la communauté de biens ?

Le régime de la communauté de biens est l'ancien régime légal; on ne le trouve plus dans le nouveau *Code civil du Québec*. Sauf que tous ceux qui ont choisi ce régime dans le passé y sont encore soumis.

Qu'est-ce qui compose la communauté de biens ?

Les biens qui composent la communauté de biens se répartissent en trois catégories :

— les biens communs;

— les biens propres; et

— les biens réservés de l'épouse.

Quels sont les biens communs?

Les biens communs sont :

— les biens meubles que les époux avaient au moment du mariage ;

— les meubles et immeubles acquis et payés par les époux pendant le mariage ;

— les revenus provenant des biens propres et du travail du mari.

Quels sont les biens propres?

Les biens propres sont :

— les immeubles obtenus avant le mariage ;

— les donations par contrat de mariage ;

— les donations faites durant le mariage ;

— les legs faits par les ascendants de l'un des époux ;

— les indemnités touchées par l'un des époux à titre de dommages-intérêts pour injures, torts personnels ou blessures corporelles.

Qu'est-ce que les biens réservés de l'épouse?

Les biens réservés comprennent :

— son salaire ;

— les économies qui en proviennent ;

— les biens acquis avec celui-ci.

De quelle façon fonctionne l'administration de ce régime?

Le mari est le seul responsable de l'administration des biens communs et de ses biens propres. Toutefois, s'il désire vendre, donner ou hypothéquer un bien commun, il doit obtenir le consentement de l'épouse. Cette dernière administre seule ses biens réservés et ses biens propres. À la demande du mari, elle doit verser à la communauté les revenus provenant de ses biens propres qui n'ont pas été consommés. Elle a les mêmes pouvoirs sur ses biens réservés qu'a son mari sur la communauté.

Que se passe-t-il au moment de la dissolution du régime ?

Les biens communs ainsi que les biens réservés de l'épouse seront répartis également entre les deux conjoints, et chacun gardera ses biens propres.

Est-ce que l'épouse peut conserver ses biens réservés ?

Oui, l'épouse peut conserver ses biens réservés mais, pour ce faire, elle doit renoncer aux biens communs. Il est avantageux pour elle de renoncer aux biens communs lorsque la valeur des biens est engloutie par des dettes. La renonciation a pour conséquence de la libérer de toutes les dettes communes, exception faite de sa contribution aux charges du ménage.

L'époux ne peut cependant renoncer au partage des biens communs, peu importe la valeur des biens et des dettes qui s'y rattachent.

À quel moment prend effet la dissolution ?

Il y a possibilité de faire remonter la dissolution du mariage à la date de la cessation de la vie commune.

À signaler. Il est possible de choisir un autre régime matrimonial que la société d'acquêts ou la séparation de biens, nous parlons alors de régime matrimonial communautaire. Lorsque vient le temps de dissoudre ou de liquider un régime matrimonial communautaire ou l'ancien régime de la communauté de biens, il est possible d'utiliser les règles du régime matrimonial de la société d'acquêts, si elles ne sont pas contraires au régime matrimonial.

15. L'ANNULATION DE MARIAGE

Annie Dupuis, avocate et médiatrice

1. ANNULATION D'UN MARIAGE CIVIL

Qu'est-ce que l'annulation de mariage ?

L'annulation de mariage met fin au mariage pour des raisons autres que celles qui font en sorte que le divorce est prononcé.

Y a-t-il un délai pour demander une annulation de mariage ?

Oui. L'annulation de mariage doit être demandée dans les trois ans de la célébration du mariage.

Quels sont les motifs d'une annulation de mariage ?

Le mariage est annulé si les époux n'ont pas célébré le mariage suivant les dispositions prévues par la loi. Les motifs sont alors la mauvaise foi, le mensonge, la bigamie (être déjà marié).

Qu'est-ce que la mauvaise foi ?

En matière d'annulation de mariage, la mauvaise foi signifie qu'une personne se marie malgré l'existence et la connaissance de certains obstacles légaux.

Luc est marié et séparé de corps depuis quinze ans. Son mariage a été célébré en Colombie-Britannique. Il sait qu'il est toujours marié. Malgré tout, il décide d'épouser Lucie à Québec. Au moment du mariage, Luc est de mauvaise foi.

La non-consommation du mariage est-elle un motif d'annulation du mariage?

Non, en ce qui concerne l'annulation sur le plan civil.

Toutefois, la non-consommation du mariage est une cause d'annulation du mariage en droit canon[1].

Lorsque l'annulation de mariage est prononcée, qu'arrive-t-il aux enfants nés de ce mariage?

Les enfants ne sont pas privés des avantages du mariage même si celui-ci est annulé. Leurs parents seront tenus envers eux des mêmes droits et obligations.

Qu'arrive-t-il quant au partage des biens?

Les époux peuvent choisir de reprendre chacun leurs biens. Mais s'ils étaient de mauvaise foi, c'est une obligation de reprendre leurs biens.

Quand un époux est-il de bonne foi?

Un époux est de bonne foi lorsqu'il croyait vraiment que son consentement était valable.

Robert et Louise se marient. Deux ans après leur mariage, Robert découvre que Louise est en fait sa cousine. Au moment du mariage il ignorait ce fait, car, comme enfant adopté, il ne connaissait pas ses origines familiales.

Si les époux ont fait un contrat de mariage, qu'advient-il des donations prévues à ce contrat?

L'époux de bonne foi a droit aux donations prévues. Mais, lorsque le tribunal prononce la nullité, il peut réduire, annuler, ou différer pour un certain temps le paiement de cette donation. Le tribunal tient compte de la situation des parties avant de prendre une décision.

L'époux de mauvaise foi n'a pas droit aux donations prévues au contrat de mariage.

---

1. *Droit de la famille — 1341*, (1990) R.D.F. 523 (C.S.).

Les époux auront-ils droit à une pension alimentaire?

Non. L'annulation du mariage éteint le droit des époux de se réclamer une pension alimentaire.

Toutefois, à la demande de l'un des époux, le tribunal peut accorder une pension pour un temps, selon les circonstances. (art. 389 C.C.Q.)

Cependant, si le tribunal réserve le droit de réclamer une pension alimentaire, ce droit s'éteint au bout de deux ans.

2. ANNULATION D'UN MARIAGE RELIGIEUX

Après avoir obtenu l'annulation de mariage sur le plan civil, puis-je me remarier à l'église catholique?

Non, si vous n'avez pas obtenu l'annulation du mariage religieux.

Attention! La question de l'annulation du mariage religieux ne se pose qu'aux gens ayant célébré leur mariage à l'Église. Les gens ne s'étant mariés qu'au Palais de justice et qui y voient leur mariage civil annulé peuvent se remarier à l'Église.

Quels sont les motifs pour demander l'annulation du mariage religieux?

Le droit canon (religieux) prévoit plusieurs motifs pour justifier l'annulation du mariage, dont:

— le défaut d'aptitude physique (impuissance);

— la non-consommation du mariage;

— le défaut de consentement;

— la violence physique, la crainte;

— la parenté entre conjoints, la bigamie;

— l'âge minimum au mariage non atteint (mineur moins de 18 ans);

— le manquement à la forme dans la célébration du mariage (par exemple, l'absence de témoins, de publications de bans, la non-signature des registres).

À qui s'adresse-t-on pour entreprendre la procédure en annulation de mariage sur le plan religieux?

Comme cette procédure relève du droit canon (religieux), il faut s'adresser au diocèse dans lequel le demandeur habite.

Les procédures civiles doivent-elles être réglées avant d'entreprendre celles sur le plan religieux?

Oui. L'aspect civil doit être réglé. Cela signifie que le divorce ou l'annulation de mariage sur le plan civil doit avoir été prononcé avant l'ouverture de la demande d'annulation du mariage religieux.

Dois-je contacter un avocat?

Non, puisque ce sont les autorités religieuses qui s'occupent du déroulement. Il y aura toutefois un avocat ecclésiastique (de l'Église) qui s'occupera du dossier.

Comment se déroule l'instance en annulation de mariage?

L'avocat de l'Église rencontre individuellement les deux époux. Il rencontre également quatre témoins, soit deux représentant chaque époux. Par la suite, une décision sera prise par cet avocat concernant la demande d'annulation de mariage.

Le tribunal ecclésiastique prendra la décision qui, par la suite, sera confirmée par les autorités supérieures à Rome.

Y a-t-il des frais pour obtenir l'annulation d'un mariage religieux?

Oui. Les frais sont fixés par le diocèse. Il faut donc communiquer avec son diocèse pour en connaître le montant.

Comment trouver l'adresse de son diocèse?

En communiquant avec les autorités de l'Église de son quartier.

16. L'UNION LIBRE

Annie Dupuis, avocate et médiatrice

Qu'est-ce que l'union libre?

Vivre en union libre signifie que deux personnes vivent ensemble sans être mariées.

À signaler. Les gens vivant en union de fait ne sont pas mariés et ne le deviennent pas par l'effet du temps. Plusieurs personnes croient qu'au bout de trois, cinq ou dix ans elles deviennent mariées. Mais non! Le temps ne remplace pas le mariage.

Donc, si ce couple se sépare au bout de plusieurs années, aucune loi régissant la séparation de corps et le divorce ne s'applique.

Quels sont les droits des enfants nés de parents vivant en union libre?

Ces enfants ont le même statut, les mêmes droits et obligations que ceux nés de l'union de parents mariés.

Qu'arrive-t-il des enfants à la séparation des parents?

Le parent qui désire en obtenir la garde doit en faire la demande par une requête pour garde d'enfant présentée devant la Cour supérieure.

Il est également possible d'obtenir une pension alimentaire pour eux.

Est-il possible au conjoint d'obtenir une pension alimentaire pour lui-même?

Non. Les conjoints n'étant pas mariés, il n'y aura aucune pension alimentaire d'attribuée, la loi ne le prévoyant pas. Il n'y aura donc qu'une pension alimentaire pour les enfants.

La conclusion à laquelle en vient le juge, c'est que malgré plusieurs années de vie commune, lorsque des concubins cessent de faire vie commune, il n'existe entre eux aucune obligation alimentaire. Celui qui a la garde des enfants peut réclamer une pension pour eux[1].

CONTRAT D'UNION LIBRE

Comment puis-je me protéger en vivant en union libre?

Les conjoints vivant en union libre peuvent se protéger en signant tous deux un contrat d'union libre. La loi ne créant pas d'obligations entre les conjoints de fait, il n'en tient qu'à eux de se protéger.

Que devrait contenir un contrat d'union libre?

Un contrat d'union libre contient habituellement :

— le nom du conjoint propriétaire des biens ainsi que la liste des biens;

— la contribution de chacun aux charges du ménage;

— la contribution de chacun aux dettes du ménage;

— les modalités de rupture.

Évidemment, cette liste n'est pas exhaustive et les conjoints peuvent inclure d'autres points dans leur contrat.

Quel est l'effet d'un contrat d'union libre au moment de la rupture?

Cette entente prévoyant les modalités de la vie de tous les jours, de même que les modalités de rupture, le tribunal le fera respecter si, à la rupture, l'un des conjoints ne le respecte pas.

Le contrat d'union libre doit-il être notarié?

Non, pas nécessairement. Toutefois, il y a certains avantages à faire un contrat notarié. En effet, un contrat notarié est un acte

---

1. *Droit de la famille — 1160*, (1988) R.D.F. 148 (C.S.).

authentique et, si le contrat devait être amené en cour, il ne serait pas contesté puisqu'il est authentique au sens de la loi.

Quels sont les recours en ce qui a trait au partage des biens ?

A) L'action en revendication. Il s'agit du recours que prend un propriétaire afin de faire reconnaître la propriété qu'il a à l'égard d'un bien.

B) L'action en partage. Elle est utilisée lorsque les ex-conjoints ne peuvent s'entendre sur le partage des biens. À ce moment, c'est le tribunal qui tranche sur la propriété de ces derniers.

Exemples :

ACTION EN REVENDICATION. Michelle est propriétaire des électroménagers meublant l'appartement qu'elle partage avec Ghislain. Au moment de leur séparation, Ghislain prétend en être propriétaire. Michelle doit alors entreprendre une action en revendication afin de faire reconnaître sa propriété sur ces biens meubles.

ACTION EN PARTAGE. Chantal et Yvan ont acquis une automobile en copropriété. Au moment de leur séparation, ils ne s'entendent pas sur la valeur de l'automobile et tous deux veulent la garder. Une action en partage sera nécessaire afin d'établir la valeur du bien et de le faire vendre.

Attention !   Il ne faut pas oublier que la loi sur le partage du patrimoine familial ne s'applique pas à la fin de la vie commune de gens vivant en union libre.

Attention !   Il est important pour les gens vivant en union de fait de conserver les factures lorsqu'ils acquièrent un bien. La facture fait habituellement la preuve de la propriété. Toutefois, la preuve du paiement est également essentielle, car elle sert à démontrer qui, en réalité, a payé le bien.

Qu'arrive-t-il à celui qui a collaboré à l'entreprise de son conjoint et qui n'en retire aucun avantage financier au moment de la séparation ?

Il existe deux recours pour ces ex-conjoints.

A) LA SOCIÉTÉ TACITE. La société tacite implique que chacun des conjoints a fait une contribution en argent, matérielle ou autre et qu'il y aura partage des gains et pertes entre eux.

Sylvie et Philippe exploitent un commerce appartenant légalement à Sylvie. Philippe travaille au commerce et s'y est engagé autant que Sylvie. Au moment de leur séparation, il y aura partage des gains et pertes puisqu'ils ont une société tacite, Philippe ayant investi autant que Sylvie.

B) L'ENRICHISSEMENT SANS CAUSE. S'applique lorsqu'un conjoint peut démontrer que l'autre s'est enrichi à son détriment, et ce, sans justification.

Manon et Raymond vivent ensemble sans être mariés. Raymond est garagiste et Manon s'occupe du secrétariat et de la comptabilité du garage sans être rémunérée en se disant qu'elle le fait pour leur garage. Ne prenant pas d'autre emploi, Manon s'appauvrit, tandis que Raymond s'enrichit. Avec la théorie de l'enrichissement sans cause, Manon pourra récupérer de l'argent que lui versera Raymond pour l'indemniser.

La contribution aux charges du ménage suffit-elle pour ouvrir le droit à l'un des recours mentionnés ci-dessus?

Non, la contribution aux charges du ménage n'est pas un élément suffisant. Il faudrait qu'elle soit exceptionnelle. De plus, il serait difficile de démontrer l'appauvrissement, l'enrichissement et le lien de causalité.

Qu'arrive-t-il si des conjoints avaient acquis une résidence en copropriété?

Au moment de la séparation, trois options s'offrent à ces gens.

1) Mise en vente de la résidence.

2) Rachat par l'un de la part de l'autre.

3) L'un s'engage à payer seul la résidence, l'autre n'ayant aucune responsabilité dans le paiement.

Toutefois, la troisième option doit être utilisée avec beaucoup de prudence. En effet, les deux personnes demeurant responsables pour l'institution financière, il ne faut pas oublier que si un conjoint ne paie pas, l'institution financière peut exiger que l'autre assume le prêt hypothécaire.

À ce moment, il faut se protéger en signant un contrat avec l'ex-conjoint. Ce contrat devra contenir des dispositions prévoyant un recours au cas où celui qui s'était engagé à payer ne le ferait pas.

À signaler. Le fait de vendre sa part de la résidence ne libère pas le conjoint du prêt hypothécaire. Pour en être libéré, il peut avoir fait les démarches auprès de l'institution financière, qui vérifiera la capacité de celui qui veut racheter la part de la maison à assumer seul le prêt hypothécaire. Elle peut décider de ne pas modifier l'acte de prêt et, ainsi, les deux conjoints demeurent responsables auprès d'elle.

Lorsqu'il y a rupture de l'union de fait, y a-t-il un partage des régimes de rentes, des caisses de retraite et des régimes enregistrés d'épargne-retraite ?

Non, puisque les gens n'étant pas mariés, le partage du patrimoine familial ne s'applique pas.

Existe-t-il des lois où les conjoints de fait sont considérés comme vivant maritalement ?

Oui, les conjoints sont considérés comme vivant maritalement aux fins de l'application de certaines lois. Entre autres, les lois suivantes :

— la *Loi sur les accidents du travail et les maladies professionnelles*;

— la *Loi sur le civisme*;

— la *Loi sur l'assurance automobile*;

— la *Loi sur l'aide juridique*;

— la *Loi sur la sécurité du revenu*;

— la *Loi sur les impôts*;

— la *Loi sur l'indemnisation des victimes d'actes criminels*;

— la *Loi sur le régime des rentes du Québec* (afin d'obtenir la rente de conjoint survivant après trois ans de vie commune).

Puis-je continuer à habiter le logement que j'habitais avec mon conjoint si le bail était à son nom et qu'il quitte le logement?

Oui, si vous habitiez ensemble depuis au moins six mois et que vous avisez le locateur de la situation dans les deux mois de la cessation de la cohabitation[2].

Qu'arrive-t-il au moment de la séparation des parties, si mon conjoint m'avait inscrit comme bénéficiaire de sa police d'assurance-vie?

Ce conjoint a le choix de changer le nom du bénéficiaire de sa police d'assurance-vie. Tout comme il a le choix de changer son testament.

---

2. C.C.Q. 1938.

17. L'AIDE JURIDIQUE

Annie Dupuis, avocate et médiatrice

Qu'est-ce que l'aide juridique ?

La *Loi sur l'aide juridique* et ses règlements permettent aux personnes financièrement admissibles de bénéficier de services d'aide juridique.

Comment est attribuée l'aide juridique ?

L'aide juridique est attribuée à toute personne qui en fait la demande et qui est financièrement admissible suivant les dispositions concernant le sujet pour lequel la personne requiert le bénéfice de l'aide juridique.

Que signifie « être admissible financièrement à l'aide juridique » ?

Être admissible financièrement à l'aide juridique signifie que les revenus, les liquidités et l'actif de la famille du demandeur d'aide juridique sont dans les limites financières prévues par la loi et ses règlements.

Attention!   Les personnes prestataires de la sécurité du revenu sont admissibles financièrement à l'aide juridique gratuite. Toutefois, il arrivera parfois que l'admissibilité à l'aide juridique leur sera refusée, et ce, pour des motifs autres que la question financière.

Quand sommes-nous conjoints au regard de la *Loi sur l'aide juridique* ?

La *Loi sur l'aide juridique* prévoit que sont conjoints :

— les époux qui cohabitent;

— les gens vivant maritalement qui sont les père et mère d'un même enfant;

— les gens qui vivent maritalement et qui cohabitent pendant une période d'au moins un an.

Qu'en est-il de la définition de la famille en vertu de cette loi?

Selon cette loi, une famille est formée :

— du père ou de la mère, ou d'une autre personne, ainsi que des enfants mineurs avec qui ils cohabitent et qui ne sont ni mariés, ni père, ni mère d'un enfant, et des enfants majeurs qui fréquentent, au sens du règlement, un établissement d'enseignement et qui ne sont ni le conjoint d'une personne, ni père ou mère d'un enfant;

— des conjoints avec tout enfant visé au paragraphe ci-dessus;

— des conjoints sans enfant.

Benoît et Sylvie vivent ensemble depuis cinq mois. Ils ont tous deux un enfant né d'une union précédente. Ils forment une famille au sens de la *Loi sur l'aide juridique*. Ce qui signifie que les revenus de Sylvie seront considérés lorsque Benoît fera une demande d'admissibilité à l'aide juridique. De même, les dépenses reliées à la famille seront comptabilisées.

L'aide juridique est-elle toujours gratuite?

Non. La *Loi sur l'aide juridique* prévoit des cas où l'aide juridique sera gratuite et également des cas où une contribution financière sera requise de son bénéficiaire.

Dans quels cas s'applique la contribution financière à l'aide juridique?

Pour bénéficier de l'aide juridique gratuite, les revenus d'une personne ou d'une famille ne doivent pas dépasser la limite prévue par la loi. Toutefois, selon une autre limite prévue par règlement, des gens sont admissibles à l'aide juridique moyennant le paiement d'une somme prévue par le règlement de la loi sur l'aide juridique.

Michel fait une demande d'aide juridique. Il vit avec Line depuis deux ans mais ils n'ont pas d'enfant. Toutefois, ils sont conjoints et forment une famille aux yeux de la *Loi sur l'aide juridique*. Leurs deux revenus accumulés sont trop élevés pour obtenir l'aide juridique gratuite. Toutefois, ils sont dans les limites du revenu annuel maximal de 17 813 $ prévu par le règlement, puisque leurs revenus sont de 15 500 $ par année. La contribution requise sera de 500 $ (voir le tableau à la fin de la section).

Quels sont les services juridiques pour lesquels l'aide juridique est accordée ?

En matière familiale, l'aide juridique sera accordée s'il s'agit d'une séparation, d'un divorce, d'une garde d'enfant, de pension alimentaire, de tutelle au mineur, de changement de nom, de l'enlèvement international et interprovincial d'enfants et de la *Loi sur la protection de la jeunesse*.

Existe-t-il d'autres critères pouvant faire en sorte que l'aide juridique soit refusée ?

Oui. L'aide juridique peut être refusée si le recours n'apparaît pas fondé si l'on tient compte des facteurs suivants :

— pas de vraisemblance de droit ;

— très peu de chances de succès ;

— les coûts entraînés seraient déraisonnables par rapport aux gains ou aux pertes qui pourraient en résulter pour le bénéficiaire ;

— le jugement ou la décision ne serait probablement pas susceptible d'exécution ;

— la personne bénéficiant de l'aide juridique refuse une proposition raisonnable de règlement de l'affaire sans motif valable ;

— le recours a pour but l'obtention d'un montant d'argent (art. 69).

Est-il possible de choisir son avocat en recourant à l'aide juridique?

Oui. Le choix de l'avocat est un droit. Certains avocats qui pratiquent en dehors d'un bureau d'aide juridique acceptent de représenter des gens admissibles à l'aide juridique.

Attention!   Ce ne sont pas tous les avocats qui acceptent de représenter des gens admissibles à l'aide juridique. Vous ne pouvez forcer un avocat à vous représenter suivant le barème fixé par l'aide juridique. Il serait bon de mentionner son admissibilité à l'aide juridique dès le premier contact téléphonique avec l'avocat.

Comment faire une demande d'aide juridique?

En vous présentant au bureau d'aide juridique le plus près de votre résidence.

Règle générale, vous devez vous présenter en personne. À moins de raisons exceptionnelles qui vous en empêchent, le dossier d'admissibilité ne sera pas ouvert si vous ne vous présentez pas en personne.

Certains renseignements sont requis afin de compléter la demande d'aide juridique. Ces renseignements sont ses : nom, adresse, numéro d'assurance sociale, date de naissance et ceux de sa famille. Les nom et adresse de son employeur et de ceux des membres de sa famille, ainsi que leurs revenus.

Celui qui fait une demande d'aide juridique doit décrire les faits sur lesquels il se fonde pour faire sa demande. Cela est nécessaire afin d'établir la vraisemblance de droit de la demande.

Attention!   Les prestataires de la sécurité du revenu doivent indiquer qu'ils reçoivent ces prestations et donner leur numéro de dossier de prestataire.

La personne qui fréquente un établissement d'enseignement doit en faire la démonstration aux fins de l'admissibilité financière.

Que faire si la demande d'aide juridique est refusée?

On peut contester la décision du bureau d'aide juridique en faisant une **demande de révision** dans les 30 jours de cette décision.

Jusqu'à la révision, une attestation conditionnelle d'admissibilité est autorisée pour que l'avocat puisse à tout le moins faire les actes conservatoires afin que les droits du demandeur d'aide juridique ne soient pas mis en péril. Si une telle attestation est attribuée, la révision sera traitée en priorité.

Qu'arrive-t-il si la demande de révision est rejetée et que des actes conservatoires ont été posés à la suite d'une attestation conditionnelle d'admissibilité ?

L'avocat ou le notaire ayant fait des actes conservatoires demanderont à être payés directement par le demandeur d'aide juridique.

Si l'avocat est un avocat qui pratique dans un bureau d'aide juridique, il exigera du demandeur un remboursement des coûts de l'aide juridique obtenue.

TABLEAU SUR LA CONTRIBUTION À L'AIDE JURIDIQUE

Catégorie de requérant	Niveau annuel maximal	Moyenne hebdomadaire maximale	Contribution selon revenu	Niveau de contribution
Personne seule	12 640 $	(243,07 $)	de 8 871 à 9 341 $	100 $
			de 9 342 à 9 812 $	200 $
			de 9 813 à 10 284 $	300 $
			de 10 285 à 10 755 $	400 $
			de 10 756 à 11 226 $	500 $
			de 11 227 à 11 697 $	600 $
			de 11 698 à 12 169 $	700 $
			de 12 170 à 12 640 $	800 $
Requérant dont la famille est formée :				
• d'un adulte et d'un enfant	17 813 $	(342,55 $)		
			de 12 501 à 13 164 $	100 $
			de 13 165 à 13 828 $	200 $
			de 13 829 à 14 492 $	300 $
			de 14 493 à 15 156 $	400 $
			de 15 157 à 15 820 $	500 $
			de 15 821 à 16 484 $	600 $
			de 16 485 à 17 148 $	700 $
			de 17 149 à 17 813 $	800 $
• d'un adulte et de 2 enfants ou plus	21 375 $	(411,05 $)		
			de 15 001 à 15 797 $	100 $
			de 15 798 à 16 594 $	200 $
			de 16 595 à 17 391 $	300 $
			de 17 392 à 18 188 $	400 $
			de 18 189 à 18 984 $	500 $
			de 18 985 à 19 781 $	600 $
			de 19 782 à 20 578 $	700 $
			de 20 579 à 21 375 $	800 $

Catégorie de requérant	Niveau annuel maximal	Moyenne hebdomadaire maximale	Contribution selon revenu	Niveau de contribution
• de conjoints sans enfant	17 813 $	(342,55 $)		
			de 12 501 à 13 164 $	100 $
			de 13 165 à 13 828 $	200 $
			de 13 829 à 14 492 $	300 $
			de 14 493 à 15 156 $	400 $
			de 15 157 à 15 820 $	500 $
			de 15 821 à 16 484 $	600 $
			de 16 485 à 17 148 $	700 $
			de 17 149 à 17 813 $	800 $
• de conjoints avec un enfant	21 375 $	(411,05 $)		
			de 15 001 à 15 797 $	100 $
			de 15 798 à 16 594 $	200 $
			de 16 595 à 17 391 $	300 $
			de 17 392 à 18 188 $	400 $
			de 18 189 à 18 984 $	500 $
			de 18 985 à 19 781 $	600 $
			de 19 782 à 20 578 $	700 $
			de 20 579 à 21 375 $	800 $
• de conjoints avec 2 enfants ou plus	24 938 $	(479,57 $)		
			de 17 501 à 18 430 $	100 $
			de 18 431 à 19 359 $	200 $
			de 19 360 à 20 289 $	300 $
			de 20 290 à 21 219 $	400 $
			de 21 220 à 22 148 $	500 $
			de 22 149 à 23 078 $	600 $
			de 23 079 à 24 008 $	700 $
			de 24 009 à 24 938 $	800 $

Chapitre II

LES ASPECTS PSYCHOSOCIAUX DE LA SÉPARATION OU DU DIVORCE

1. LES RÉALITÉS DE LA SÉPARATION OU DU DIVORCE

Lyette Chagnon, conseillère en psychologie

Quand la séparation commence-t-elle ?

La séparation commence quand on se rend compte que le conjoint n'est plus ce que l'on avait cru : la personne la plus importante pour nous, la plus attentive à nos besoins et surtout la personne qui nous aime le plus. Quand ces croyances meurent, la relation devient lourde. C'est la séparation émotive. Il est fort possible que l'autre conjoint vive les mêmes émotions à ce moment.

L'éloignement peut avoir lieu plusieurs années avant que la séparation de fait ne prenne place. Ça peut remonter aussi loin qu'à la lune de miel ou à la naissance du premier enfant ou encore au temps où l'alcool, la drogue, le golf, etc. a commencé à devenir plus important que le partenaire.

Quels sont les facteurs qui contribuent à la séparation ou au divorce ?

— Un faible attachement.

— Peu ou pas d'engagement.

— L'ennui.

— Un manque de communication.

— Trop de différence dans les intérêts, les valeurs.

— Une insatisfaction sexuelle.

— Un trop grand éloignement physique.

— Une pression exercée par les parents de l'un ou de l'autre partenaire.

— Le goût d'être indépendant.

— Un intérêt pour quelqu'un d'autre.

— Des comportements inacceptables tels : l'alcoolisme, la toxico-
manie, etc.

La séparation, c'est quoi ?

La séparation ou le divorce représente une crise dans le couple, un bouleversement dans sa relation habituelle.

Trop souvent, les conjoints n'ont pas réussi à résoudre leurs
conflits, soit à cause d'une obstination ou d'un orgueil malsain qui
font que AVOIR RAISON prévaut sur l'existence du couple et sur
son développement. De cette façon, le stress s'accroît à un point tel
que la vie à deux devient intolérable.

On se sépare. Dans les faits, cela signifie : une transformation
de la structure familiale, une redistribution des rôles et le développement de nouvelles façons d'être. Le mari perd sa femme, la
femme son mari. Les enfants sont privés de la présence physique du
parent qui a quitté, et ce, sur une base quotidienne.

Les deux parents peuvent devenir moins présents émotive-
ment et physiquement parce qu'ils doivent composer avec le stress
de la rupture.

La femme tente de s'aider; elle se joint à un groupe de soutien
ou elle va en thérapie. Elle souffre de ne plus avoir de statut et
cherche à se redéfinir en tant qu'individu. Souvent débordée par
ses multiples tâches, elle est prise dans un triple rôle (travail, éducation des enfants, entretien de la maison). Il lui reste peu de temps
à investir dans une vie sociale. L'homme vit quelque chose d'assez
différent; il souffre parce qu'il a l'impression de ne plus avoir de
but, plus de famille dans le quotidien. En réaction au stress, il peut
investir davantage dans le travail. Il cherche à se joindre à un nouveau milieu de vie, à se faire de nouveaux amis. C'est comme s'il
avait trop de temps libre et trop de solitude.

La séparation affecte non seulement les habitudes de vie anté-
rieures, mais elle a de profondes répercussions sur la personnalité
de ceux qui la vivent.

Financièrement, la famille est plus pauvre parce que la séparation nécessite deux logements, deux ameublements, etc. Il se peut qu'il n'y ait plus suffisamment d'argent pour avoir le même genre de sorties, de vacances.

Les impacts de la séparation ou du divorce se font sentir sur tous les plans (physique, émotif, psychologique, social, économique).

Quels sont les éléments qui facilitent l'adaptation à la séparation ou au divorce ?

— Adopter une attitude non traditionnelle vis-à-vis des différents rôles de l'homme et de la femme.

— Connaître qui je suis.

— Maintenir le niveau d'amertume assez bas.

— Être autonome.

— Avoir un bon groupe de soutien.

— Remplacer ce qui n'est plus par des activités (groupe d'appartenance, nouvelles amitiés, etc.).

Quels mariages devrait-on tenter de sauver ?

Seuls les mariages basés sur l'amour, le respect mutuel, l'égalité, l'attention au besoin de l'autre, l'empathie, le pardon et la communication devraient faire l'objet d'efforts en vue d'être sauvés. Un mariage sans amour, qui fait que l'on se sent moins qu'humain, ne vaut pas de tels efforts.

Quand le mariage émotif se termine-t-il ?

Le mariage émotif peut finir longtemps après le divorce. Nombreux sont les individus qui restent aux prises avec des batailles et des amertumes de leur mariage passé. Au point où ils ne peuvent pas vivre heureux.

Le mariage se termine quand le climat entre les deux ex-conjoints est rétabli — les batailles et les rancunes se sont résorbées et ils se sont créé un style de vie plus satisfaisant.

2. LES ÉMOTIONS

Lyette Chagnon, conseillère en psychologie

Les émotions servent à interpréter, organiser, diriger et résumer les perceptions des autres sens. Elles nous informent si l'expérience nous fait peur, est douloureuse, triste ou joyeuse. Quand les émotions parlent, on a avantage à les écouter, à leur être présent.

Sentir ses émotions, c'est dire « oui » à la vie. Plus que n'importe quoi d'autre, elles rendent les êtres « humains » et « semblables ». Lorsqu'on les utilise comme guides dans sa recherche intérieure et pour la connaissance de soi, on est alors en voie de trouver satisfaction dans nos vies.

Une personne qui ne se comprend pas elle-même ne peut pas s'attendre à vivre dans un monde qui a beaucoup de sens pour elle.

Quelles sont les émotions qui entourent la séparation ou le divorce ?

Au moment de la séparation ou du divorce, on peut se sentir :

— incompris, déçu et apeuré en même temps ;

— rejeté, coupable et en colère ;

— sans valeur aux yeux de l'autre ;

— fâché ;

— craintif ;

— impuissant ;

— trahi ;

— seul ;

— abandonné ;

— moins intéressant ;

— confus ;

— appauvri dans l'estime de soi;

— déprimé;

— inquiet de ne plus être un bon parent;

— angoissé à l'idée de « perdre le contrôle »;

— en proie à la crainte de devenir fou;

— préoccupé de l'avenir;

— apitoyé;

— euphorique;

— soulagé;

— libéré.

Même si se séparer ou divorcer est plus accepté socialement de nos jours, la plupart des personnes qui le vivent traversent cette expérience comme l'une des plus difficiles sur le plan émotif.

C'est le bouleversement émotif total, et ce, autant pour celui qui prend l'initiative de la dissolution du couple que pour l'autre qui la subit. Les émotions sont intenses, contradictoires et complexes; elles mobilisent l'énergie mentale des deux, et c'est normal.

Rappelons-nous que ces émotions sont mouvantes, passagères et se transforment; elles ont leur raison d'être cependant : les apprivoiser fait donc partie du processus de guérison qu'est le deuil du mariage.

Que dire du deuil du mariage?

Le deuil du mariage est le stress psychologique ressenti par les personnes qui vivent une séparation ou un divorce. Il semble que ce soit l'expérience du plus grand nombre.

C'est la mort de la relation, on perd le conjoint, le père ou la mère des enfants, le mariage, l'idéal, la maison, etc. On nie que la relation est finie, on ressent de la colère parce qu'on a été abandonné et on perd l'appétit, etc. Ces pertes stimulent des sentiments et des réactions très semblables à ce que l'on vit quand un être cher meurt.

Faire le deuil de la relation est très important si l'on veut pouvoir continuer sa vie. Les effets psychologiques du divorce diminuent en intensité avec le temps. Les sentiments négatifs ne s'effacent pas tous en même temps mais, en général, la majorité des adultes ont pris entre six mois et deux ans pour s'adapter à leur nouveau style de vie.

Quels sont les facteurs qui influent sur le deuil du mariage ?

— La personnalité de l'individu.

— Les facteurs sociaux.

— L'importance du conjoint qui a quitté le noyau familial.

— Le système de valeurs de chacun.

En bref, le processus du deuil du mariage va comme suit :

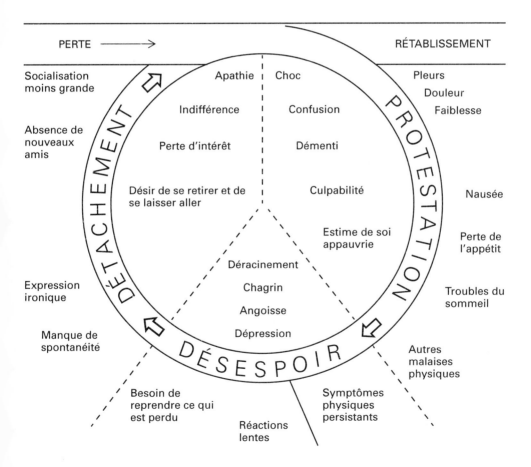

3. LES ENFANTS DANS LA SÉPARATION

Lyette Chagnon, conseillère en psychologie

Les parents qui se séparent sont souvent, et avec raison, très préoccupés par le bien-être de leurs enfants.

Les parents ne se séparent pas de leurs enfants et la relation franche et saine qu'ils entretiennent ensemble aide les uns et les autres à s'adapter à la famille transformée et à en guérir. Même si on ne peut pas être heureux ensemble, il faut se rappeler que la séparation ou le divorce n'est pas nécessairement une défaite : ce peut être une occasion d'épanouissement pour le père et la mère, lequel peut se refléter sur leurs enfants.

Comment les enfants peuvent-ils réagir à la séparation ?

Les enfants réagissent de façon égocentrique à cause de leur dépendance affective, matérielle et physique. Ils peuvent :

— régresser, se sentir abandonnés et perdre l'appétit;

— s'inquiéter quant à l'avenir et avoir peur de perdre l'autre parent;

— se sentir coupables; ils pensent avoir causé la séparation;

— se sentir blessés et rejetés par celui qui quitte le foyer;

— éprouver de la colère envers les deux parents;

— devenir déprimés, perturbateurs, solitaires, sujets aux accidents et candidats au suicide;

— vivre le deuil de la relation de leurs parents quand ils savent que leur sécurité est assurée.

Comment peut-on aider les enfants à s'adapter à la séparation ou au divorce ?

— En continuant à agir comme parents auprès d'eux.

— En décidant ensemble (couple) ce qu'on va leur dire et en adoptant des valeurs parentales communes.

— En clarifiant aussi souvent que nécessaire la raison de la séparation afin de les aider à comprendre le choix de leurs parents et de les amener à se désengager vis-à-vis de la séparation.

— En les assurant qu'on ne les quittera jamais, que leur bien-être, leur sécurité et leur développement nous tiennent à cœur.

— En les encourageant à poser des questions et à exprimer leurs émotions.

— En réservant à chaque enfant un temps particulier.

— En maintenant un équilibre émotif, financier et physique.

— En développant un bon groupe de soutien (frères, sœurs, amis, grands-parents, etc.).

De plus, on peut :

— Leur raconter des histoires. Se servir de ces histoires comme instruments déclencheurs de conversation.

— Écouter les histoires qu'ils créent. On peut voir si ce qui se passe dans leurs histoires ressemble à ce qu'ils vivent. On peut aussi constater si ça s'apparente à la réalité ou pas. Les personnages sont-ils apeurés ou encore font-ils peur ?

— Les inviter à nous raconter leurs rêves, en observer les personnages, l'action et les émotions.

— Les encourager à écrire. Il est plus facile d'exprimer ses sentiments sur papier pour certains.

— Les encourager à dessiner et à colorier ce qu'ils vivent : colère, peine, séparation de papa et de maman, etc.

Comment savoir si l'équilibre des enfants est menacé ?

C'est surtout en observant :

— leurs réactions ;

— leur langage ;

— leur perception et leur compréhension de la séparation et du divorce;

— le contrôle de leurs impulsions;

— les signes de régression;

— leur façon d'être avec leurs amis;

— leurs résultats scolaires.

Si les parents sont incertains quant à l'équilibre de leurs enfants, ils peuvent aller consulter au CLSC (secteurs petite enfance ou jeunesse).

Y a-t-il des choses à éviter?

OUI!

— Éviter de se servir d'eux dans les querelles.

— Éviter de transposer sur eux les colères et frustrations ressenties envers le conjoint.

— Éviter de leur dire qu'ils sont maintenant l'homme ou la femme de la maison.

— Éviter de forcer les enfants à prendre parti.

Pourquoi certains enfants refusent-ils de voir le parent qui n'a pas la garde?

Parce qu'ils comptent ainsi pouvoir ramener le parent au logis. Longtemps après la séparation, les enfants sont encore préoccupés de la réconciliation de leurs parents.

Le refus peut être une suite logique à un comportement fabulatoire de complaisance. La fabulation est une réaction à la peur de perdre le parent chez un enfant de 5 à 8 ans. Dans ce type de réaction, le désir réel de l'enfant est de voir le parent.

Le refus de visiter peut aussi être le résultat d'un cheminement intérieur et il est alors l'équivalent d'un rejet du parent par l'enfant. On met en cause le comportement abusif du parent et son éloignement. Ici, l'enfant fait un deuil prématuré de son parent. On constate chez l'enfant tristesse, sentiment de perte, désir de remplacement de l'être perdu, refus d'entretenir des espoirs ou des liens, se réfugiant plutôt dans ses souvenirs.

Note : Les enfants ont besoin de parents gratifiants, chaleureux, sécurisants et structurants. De plus, il leur est nécessaire que le parent gardien favorise et encourage les contacts avec l'autre parent.

TESTEZ VOS CONNAISSANCES

1) Il faut être marié pour avois accès au service de médiation familiale. Voir pages 3-4.

   VRAI ——————————   FAUX ——————————

2) Si mon conjoint et moi sommes d'accord sur tous les points de la demande conjointe en divorce, le tribunal ne pourra jamais refuser d'entériner cette demande. Voir page 10.

   VRAI ——————————   FAUX ——————————

3) À compter du moment où je suis séparé légalement, je peux me remarier. Voir page 15.

   VRAI ——————————   FAUX ——————————

4) L'adultère est un motif pour obtenir le divorce. Je n'ai qu'à avouer moi-même que j'ai commis l'adultère dans une demande en divorce et j'obtiendrai jugement. Voir page 19.

   VRAI ——————————   FAUX ——————————

5) Au stade des mesures provisoires, le tribunal ne peut se prononcer sur la garde des enfants. Voir page 22.

   VRAI ——————————   FAUX ——————————

6) Si un parent cesse de payer la pension alimentaire pour ses enfants, cela est suffisant pour qu'il ne puisse plus les voir. Voir pages 31-32.

   VRAI ——————————   FAUX ——————————

7) La cour considère les revenus de chacun pour accorder une pension alimentaire, et non les biens que chacun possède. Voir page 37.

VRAI _____   FAUX _____

8) Mon conjoint ne paie plus la pension alimentaire. Il est propriétaire d'un immeuble à revenus. Le ministère du Revenu peut saisir les loyers afin de payer la pension alimentaire. Voir page 45.

VRAI _____   FAUX _____

9) À compter de mai 1997, les pensions alimentaires pour enfants et les conjoints ne seront plus imposables et déductibles. Voir page 55-56.

VRAI _____   FAUX _____

10) Je ne peux déduire de mon impôt aucun paiement fait à l'égard de mon enfant. Voir page 59.

VRAI _____   FAUX _____

11) Même si je suis copropriétaire de la résidence familiale, il est bon de se protéger en faisant une déclaration de résidence familiale. Voir page 61.

VRAI _____   FAUX _____

12) Ça fait dix ans que je vis avec mon conjoint, le patrimoine familial s'applique donc à nous. Voir page 67.

VRAI _____   FAUX _____

13) Selon la loi sur le patrimoine familial, je suis propriétaire de la moitié de tous les biens de mon mari pendant le mariage. Voir page 69.

VRAI _____   FAUX _____

14) Les gens qui vivent en union libre peuvent obtenir une prestation compensatoire. Voir page 75.

  VRAI ——————— FAUX ———————

15) Avec le patrimoine familial, les contrats de mariage ne valent plus rien. Voir page 81.

  VRAI ——————— FAUX ———————

16) Si j'ai obtenu l'annulation de mon mariage sur le plan civil, je peux me remarier religieusement. Voir page 91.

  VRAI ——————— FAUX ———————

17) Ça fait dix ans que je vis en union de fait avec ma conjointe; je suis donc marié. Voir page 93.

  VRAI ——————— FAUX ———————

18) Un refus d'une demande d'aide juridique n'est aucunement contestable. Voir page 102.

  VRAI ——————— FAUX ———————

BIBLIOGRAPHIE

BELLI, MELVIN et MEL KRANTZLER. *Divorcing*, St Martin's Press, New York, 1988.

BERNSTEIN, JOANNE E., MASKA KALAKOMA-RUDMAN. *Book to Help Children Cope with Separation and Loss*, New York : R.R. Bauker, 1989.

BLAIS-ROMPRÉ, GISÈLE. *Capacité de solitude et processus de séparation chez la femme : de la petite enfance à la maternité*, Mémoire de maîtrise, 1985.

BOISVERT, JEAN-MARIE. *Prévention de la dépression chez les femmes séparées*, Conseil québécois de la recherche sociale, 1991.

GARDNER, RICHARD A. *Les enfants et le divorce*, Éditions Saint-Yves, 1988.

GOWAIN, SHAKTI. *Creative Visualization*, Bantam books, USA, 1982.

HETTIE, FRANK B. *The Adjustment of Men and Women to Marital Separation : the Relation of Sex Role Attitudes to Social Support Networks and Distress*, Ann Arbor, Mich., 1988.

JACKSON, EDGAR N. *Coping with the Crises in your Life*, Jason Aronson, 1980.

JOHNSON, LAWRENCE et GEORGLYN ROSENFELD. *Divorced Kids : What you Need to Know to Help Kids Survive a Divorce*, Nashville : T. Nelson, 1990.

MONBOURQUETTE, JEAN. *Aimer, perdre et grandir*, Les éditions du Richelieu, 1984.

MOUSTAKAS, CLARK E. *Loneliness*, Prentice-Hall Inc., 1961.

PELIET, CAROLLE-ANNE. *Grief in Divorcees and Widows : Similarities, Differences and Treatment Implications*, Anne Arbor, Mich., 1985.

Doctrine

D. CASTELLI, MIREILLE. *Précis du droit de la famille*, Presses de l'Université Laval, 1990.

SÉNÉCAL, JEAN-PIERRE. *Le partage du patrimoine familial et les autres réformes du projet de loi 146*, Les éditions Wilson et Lafleur, 1989.

Brochures

COMMISSION DES SERVICES JURIDIQUES, SERVICE DE L'INFORMATION. *L'aide juridique peut vous aider!*, 1991.

GOUVERNEMENT DU QUÉBEC, MINISTÈRE DE LA JUSTICE. *La demande conjointe en divorce sur projet d'accord*, 1990.

REVENU CANADA IMPÔT. *Taxation. Guide d'impôt général et déclaration. Votre guide*, 1990.

Dépliants

CHAMBRE DES NOTAIRES DU QUÉBEC, SERVICES DES COMMUNICATIONS. *Patrimoine familial, Pour faciliter votre vie de couple, le notaire, c'est le meilleur endroit*, 1989.

GOUVERNEMENT DU QUÉBEC, MINISTÈRE DE LA JUSTICE, DIRECTION DES COMMUNICATIONS. *Droit au but, La déclaration de résidence familiale*, 1988.

GOUVERNEMENT DU QUÉBEC, MINISTÈRE DE LA JUSTICE, DIRECTION DES COMMUNICATIONS. *Droit au but, La perception des pensions alimentaires*, 1987.

GOUVERNEMENT DU QUÉBEC, MINISTÈRE DE LA JUSTICE, DIRECTION DES COMMUNICATIONS. *Droit au but, Le mariage*, 1989.

MÉDIATION PROFESSIONNELLE DU QUÉBEC INC. *Médiation familiale*, 1991.

Jurisprudence

B. c. L., 1983 R.L. 413 (C.S.).

Droit de la famille — 176, (1990) R.D.F. 153 (C.A.).

Droit de la famille — 261, (1986) R.J.Q. 345.

Droit de la famille — 756, J.E. 90-194 (C.A.).

Droit de la famille — 841, (1990) R.J.Q. 1571.

Droit de la famille — 935, J.E. 91-151 (C.A.).

Droit de la famille — 994, (1991) R.J.Q. 1427 (C.S.).

Droit de la famille — 1004, (1993) 312.

Droit de la famille — 1160, (1988) R.D.F. 148 (C.S.).

Droit de la famille — 1299, (1990) R.D.F. 63 (C.S.).

Droit de la famille — 1327, (1990) R.D.F. 153 (C.A.).

Droit de la famille — 1341, (1990) R.D.F. 523 (C.S.).

Droit de la famille — 1433, R.D.F. (1991) 376 (C.S.).

Droit de la famille — 1534, (1992) R.D.F. 153 (C.A.).

Droit de la famille — 1633, (1992) R.D.F. 657 (C.S.).

Droit de la famille — 2019, R.J.Q. 1877, R.D.F. 580, J.E. 94-1178 (C.S.).

G (H) c. B (AM), C.S.Q., 200-12-043511-907 (21-05-93).

S. (R.) c. B.R., C.S., MR 500-12-199568-910 (06-07-94).

Roy c. Lavigne, (1969) B.R. 187.

Lois

Code civil du Québec

Art. 392.

Art. 396.

Art. 507.

Art. 1938.

Loi sur le divorce

Art. 8(3) et (11).

RepKover.

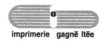

imprimerie   gagné ltée

IMPRIMÉ AU CANADA